Guy de Maupassant

12 contes réalistes

Dossier réalisé par
Jean Glorieux

Lecture d'image par
Valérie Lagier

GW00771412

folioplus
classiques

Après l'École Normale Supérieure et l'agrégation de lettres, **Jean Glorieux** a enseigné trente ans à l'ENA puis à l'IUFM de Lyon. Il a aussi assuré la formation pédagogique des professeurs dans les académies de Besançon, Clermont-Ferrand, Dijon et Grenoble, et publié une dizaine de manuels scolaires.

Conservateur au musée de Grenoble puis au musée des Beaux-Arts de Rennes, **Valérie Lagier** a organisé de nombreuses expositions d'art moderne et contemporain. Elle a créé, à Rennes, un service éducatif très innovant, et assuré de nombreuses formations d'histoire de l'art pour les enseignants et les étudiants. Elle est l'auteur de plusieurs publications scientifiques et pédagogiques. Elle est actuellement adjointe à la directrice des Études de l'Institut national du Patrimoine à Paris.

Couverture : Jean-Pierre Alexandre Antigna, *Pauvre femme*. Musée des Beaux-Arts, Orléans. Photo © Bridgeman Giraudon.

Sommaire

12 contes réalistes

Le Papa de Simon [1]

Midi finissait de sonner. La porte de l'école s'ouvrit, et les gamins se précipitèrent en se bousculant pour sortir plus vite. Mais au lieu de se disperser rapidement et de rentrer dîner [2], comme ils le faisaient chaque jour, ils s'arrêtèrent à quelques pas, se réunirent par groupes et se mirent à chuchoter.

C'est que ce matin-là, Simon, le fils de la Blanchotte, était venu à la classe pour la première fois.

Tous avaient entendu parler de la Blanchotte dans leurs familles ; et quoiqu'on lui fît bon accueil en public, les mères la traitaient entre elles avec une sorte de compassion [3] un peu méprisante qui avait gagné les enfants sans qu'ils sussent du tout pourquoi.

Quant à Simon, ils ne le connaissaient pas, car il ne sortait jamais, et il ne galopinait [4] point avec eux dans les rues du village ou sur les bords de la rivière. Aussi ne l'aimaient-ils guère ; et c'était avec une certaine joie, mêlée d'un étonnement considérable, qu'ils avaient accueilli et qu'ils

---

1. Conte publié publié en décembre 1879 dans le journal *La Réforme*, puis dans le recueil *La Maison Tellier* (Folio classique n° 2783).
2. Déjeuner.
3. Pitié.
4. Traîner et faire des bêtises.

s'étaient répété l'un à l'autre cette parole dite par un gars de quatorze ou quinze ans qui paraissait en savoir long tant il clignait finement des yeux :

— Vous savez... Simon... eh bien, il n'a pas de papa.

Le fils de la Blanchotte parut à son tour sur le seuil de l'école.

Il avait sept ou huit ans. Il était un peu pâlot, très propre, avec l'air timide, presque gauche [1].

Il s'en retournait chez sa mère quand les groupes de ses camarades, chuchotant toujours et le regardant avec les yeux malins et cruels des enfants qui méditent un mauvais coup, l'entourèrent peu à peu et finirent par l'enfermer tout à fait. Il restait là, planté au milieu d'eux, surpris et embarrassé, sans comprendre ce qu'on allait lui faire. Mais le gars qui avait apporté la nouvelle, enorgueilli du succès obtenu déjà, lui demanda :

— Comment t'appelles-tu, toi ?

Il répondit : — « Simon. »

— Simon quoi ? reprit l'autre.

L'enfant répéta tout confus : « Simon. »

Le gars lui cria : — « On s'appelle Simon quelque chose... c'est pas un nom, ça... Simon. »

Et lui, prêt à pleurer, répondit pour la troisième fois :

— Je m'appelle Simon.

Les galopins se mirent à rire. Le gars triomphant éleva la voix : — « Vous voyez bien qu'il n'a pas de papa. »

Un grand silence se fit. Les enfants étaient stupéfaits par cette chose extraordinaire, impossible, monstrueuse, — un garçon qui n'a pas de papa ; — ils le regardaient comme un phénomène, un être hors de la nature, et ils sentaient grandir en eux ce mépris, inexpliqué jusque-là, de leurs mères pour la Blanchotte.

---

1. Maladroit.

Quant à Simon, il s'était appuyé contre un arbre pour ne pas tomber ; et il restait comme atterré par un désastre irréparable. Il cherchait à s'expliquer. Mais il ne pouvait rien trouver pour leur répondre, et démentir cette chose affreuse qu'il n'avait pas de papa. Enfin, livide, il leur cria à tout hasard : — « Si, j'en ai un. »

— Où est-il ? demanda le gars.

Simon se tut ; il ne savait pas. Les enfants riaient, très excités ; et ces fils des champs, plus proches des bêtes, éprouvaient ce besoin cruel qui pousse les poules d'une basse-cour à achever l'une d'entre elles aussitôt qu'elle est blessée. Simon avisa tout à coup un petit voisin, le fils d'une veuve, qu'il avait toujours vu, comme lui-même, tout seul avec sa mère.

— Et toi non plus, dit-il, tu n'as pas de papa.

— Si, répondit l'autre, j'en ai un.

— Où est-il ? riposta Simon.

— Il est mort, déclara l'enfant avec une fierté superbe, il est au cimetière, mon papa.

Un murmure d'approbation courut parmi les garnements, comme si ce fait d'avoir son père mort au cimetière eût grandi leur camarade pour écraser cet autre qui n'en avait point du tout. Et ces polissons, dont les pères étaient, pour la plupart, méchants, ivrognes, voleurs et durs à leurs femmes, se bousculaient en se serrant de plus en plus, comme si eux, les légitimes, eussent voulu étouffer dans une pression celui qui était hors la loi.

L'un tout à coup, qui se trouvait contre Simon, lui tira la langue d'un air narquois [1] et lui cria :

— Pas de papa ! pas de papa !

Simon le saisit à deux mains aux cheveux et se mit à lui cribler les jambes de coups de pied, pendant qu'il lui mor-

---

1. Moqueur.

dait la joue cruellement. Il se fit une bousculade énorme.
Les deux combattants furent séparés, et Simon se trouva
frappé, déchiré, meurtri, roulé par terre, au milieu du cercle
des galopins qui applaudissaient. Comme il se relevait, en
nettoyant machinalement avec sa main sa petite blouse
toute sale de poussière, quelqu'un lui cria :

— Va le dire à ton papa.

Alors il sentit dans son cœur un grand écroulement. Ils
étaient plus forts que lui, ils l'avaient battu, et il ne pouvait
point leur répondre, car il sentait bien que c'était vrai qu'il
n'avait pas de papa. Plein d'orgueil, il essaya pendant
quelques secondes de lutter contre les larmes qui l'étranglaient. Il eut une suffocation, puis, sans cris, il se mit à pleurer par grands sanglots qui le secouaient précipitamment.

Alors une joie féroce éclata chez ses ennemis, et naturellement, ainsi que les sauvages dans leurs gaietés terribles,
ils se prirent par la main et se mirent à danser en rond
autour de lui, en répétant comme un refrain : — «Pas de
papa! pas de papa!»

Mais Simon tout à coup cessa de sangloter. Une rage l'af-
fola. Il y avait des pierres sous ses pieds ; il les ramassa et,
de toutes ses forces, les lança contre ses bourreaux. Deux
ou trois furent atteints et se sauvèrent en criant ; et il avait
l'air tellement formidable [1] qu'une panique eut lieu parmi les
autres. Lâches, comme l'est toujours la foule devant un
homme exaspéré, ils se débandèrent [2] et s'enfuirent.

Resté seul, le petit enfant sans père se mit à courir vers
les champs, car un souvenir lui était venu qui avait amené
dans son esprit une grande résolution. Il voulait se noyer
dans la rivière.

Il se rappelait en effet que, huit jours auparavant, un

---

1. Effrayant.
2. Se séparèrent.

pauvre diable qui mendiait sa vie s'était jeté dans l'eau parce qu'il n'avait plus d'argent. Simon était là lorsqu'on le repêchait ; et le triste bonhomme qui lui semblait ordinairement lamentable, malpropre et laid, l'avait alors frappé par son air tranquille, avec ses joues pâles, sa longue barbe mouillée et ses yeux ouverts, très calmes. On avait dit alentour : — « Il est mort. » — Quelqu'un avait ajouté : — « Il est bien heureux maintenant. » — Et Simon voulait aussi se noyer, parce qu'il n'avait pas de père, comme ce misérable qui n'avait pas d'argent.

Il arriva tout près de l'eau et la regarda couler. Quelques poissons folâtraient, rapides, dans le courant clair, et, par moments, faisaient un petit bond et happaient des mouches voltigeant à la surface. Il cessa de pleurer pour les voir, car leur manège l'intéressait beaucoup. Mais, parfois, comme dans les accalmies d'une tempête passent tout à coup de grandes rafales de vent qui font craquer les arbres et se perdent à l'horizon, cette pensée lui revenait avec une douleur aiguë : « Je vais me noyer parce que je n'ai point de papa. »

Il faisait très chaud, très bon. Le doux soleil chauffait l'herbe. L'eau brillait comme un miroir. Et Simon avait des minutes de béatitude[1], de cet alanguissement[2] qui suit les larmes, où il lui venait de grandes envies de s'endormir là, sur l'herbe, dans la chaleur.

Une petite grenouille verte sauta sous ses pieds. Il essaya de la prendre. Elle lui échappa. Il la poursuivit et la manqua trois fois de suite. Enfin il la saisit par l'extrémité de ses pattes de derrière et il se mit à rire en voyant les efforts que faisait la bête pour s'échapper. Elle se ramassait sur ses grandes jambes, puis, d'une détente brusque, les allongeait subitement, raides comme deux barres ; tandis que, l'œil

---

1. Bonheur parfait.
2. Relâchement.

tout rond avec son cercle d'or, elle battait l'air de ses pattes de devant qui s'agitaient comme des mains. Cela lui rappela un joujou fait avec d'étroites planchettes de bois clouées en zigzag les unes sur les autres, qui, par un mouvement semblable, conduisaient l'exercice de petits soldats piqués dessus. Alors, il pensa à sa maison, puis à sa mère, et, pris d'une grande tristesse, il recommença à pleurer. Des frissons lui passaient dans les membres ; il se mit à genoux et récita sa prière comme avant de s'endormir. Mais il ne put l'achever, car des sanglots lui revinrent si pressés, si tumultueux qu'ils l'envahirent tout entier. Il ne pensait plus ; il ne voyait plus rien autour de lui et il n'était occupé qu'à pleurer.

Soudain, une lourde main s'appuya sur son épaule et une grosse voix lui demanda : — « Qu'est-ce qui te fait donc tant de chagrin, mon bonhomme ? »

Simon se retourna. Un grand ouvrier qui avait une barbe et des cheveux noirs tout frisés le regardait d'un air bon. Il répondit avec des larmes plein les yeux et plein la gorge :

— Ils m'ont battu... parce que... je... je... n'ai pas... de papa... pas de papa.

— Comment, dit l'homme en souriant, mais tout le monde en a un.

L'enfant reprit péniblement au milieu des spasmes[1] de son chagrin : — « Moi... moi... je n'en ai pas. »

Alors l'ouvrier devint grave ; il avait reconnu le fils de la Blanchotte, et, quoique nouveau dans le pays, il savait vaguement son histoire.

— Allons, dit-il, console-toi, mon garçon, et viens-t'en avec moi chez ta maman. On t'en donnera... un papa.

Ils se mirent en route, le grand tenant le petit par la main, et l'homme souriait de nouveau, car il n'était pas fâché de

---

1. Contractions involontaires.

voir cette Blanchotte, qui était, contait-on, une des plus belles filles du pays; et il se disait peut-être, au fond de sa pensée, qu'une jeunesse qui avait failli[1] pouvait bien faillir encore.

Ils arrivèrent devant une petite maison blanche, très propre.

— C'est là, dit l'enfant, et il cria : — «Maman!»

Une femme se montra, et l'ouvrier cessa brusquement de sourire, car il comprit tout de suite qu'on ne badinait plus avec cette grande fille pâle qui restait sévère sur sa porte, comme pour défendre à un homme le seuil de cette maison où elle avait été déjà trahie par un autre. Intimidé et sa casquette à la main, il balbutia :

— Tenez, madame, je vous ramène votre petit garçon qui s'était perdu près de la rivière.

Mais Simon sauta au cou de sa mère et lui dit en se remettant à pleurer :

— Non, maman, j'ai voulu me noyer, parce que les autres m'ont battu... m'ont battu... parce que je n'ai pas de papa.

Une rougeur cuisante couvrit les joues de la jeune femme, et, meurtrie jusqu'au fond de sa chair, elle embrassa son enfant avec violence pendant que des larmes rapides lui coulaient sur la figure. L'homme ému restait là, ne sachant comment partir. Mais Simon soudain courut vers lui et lui dit :

— Voulez-vous être mon papa?

Un grand silence se fit. La Blanchotte, muette et torturée de honte, s'appuyait contre le mur, les deux mains sur son cœur. L'enfant, voyant qu'on ne lui répondait point, reprit :

— Si vous ne voulez pas, je retournerai me noyer.

---

1. À la vertu, «fauté».

L'ouvrier prit la chose en plaisanterie et répondit en riant :

— Mais oui, je veux bien.

— Comment est-ce que tu t'appelles, demanda alors l'enfant, pour que je réponde aux autres quand ils voudront savoir ton nom ?

— Philippe, répondit l'homme.

Simon se tut une seconde pour bien faire entrer ce nom-là dans sa tête, puis il tendit les bras, tout consolé, en disant :

— Eh bien ! Philippe, tu es mon papa.

L'ouvrier, l'enlevant de terre, l'embrassa brusquement sur les deux joues, puis il s'enfuit très vite à grandes enjambées.

Quand l'enfant entra dans l'école, le lendemain, un rire méchant l'accueillit ; et à la sortie, lorsque le gars voulut recommencer, Simon lui jeta ces mots à la tête, comme il aurait fait d'une pierre : — « Il s'appelle Philippe, mon papa. »

Des hurlements de joie jaillirent de tous les côtés :

— Philippe qui ?... Philippe quoi ?... Qu'est-ce que c'est que ça, Philippe ?... Où l'as-tu pris, ton Philippe ?

Simon ne répondit rien ; et, inébranlable dans sa foi [1], il les défiait de l'œil, prêt à se laisser martyriser plutôt que de fuir devant eux. Le maître d'école le délivra et il retourna chez sa mère.

Pendant trois mois, le grand ouvrier Philippe passa souvent près de la maison de la Blanchotte et, quelquefois, il s'enhardissait à lui parler lorsqu'il la voyait cousant auprès de sa fenêtre. Elle lui répondait poliment, toujours grave, sans rire jamais avec lui, et sans le laisser entrer chez elle. Cependant, un peu fat [2], comme tous les hommes, il s'ima-

---

1. Sa certitude.
2. Vaniteux.

gina qu'elle était souvent plus rouge que de coutume lorsqu'elle causait avec lui.

Mais une réputation tombée est si pénible à refaire et
demeure toujours si fragile, que, malgré la réserve ombra-
geuse de la Blanchotte, on jasait[1] déjà dans le pays.

Quant à Simon, il aimait beaucoup son nouveau papa et
se promenait avec lui presque tous les soirs, la journée finie.
Il allait assidûment[2] à l'école et passait au milieu de ses
camarades fort digne, sans leur répondre jamais.

Un jour, pourtant, le gars qui l'avait attaqué le premier
lui dit :

— Tu as menti, tu n'as pas un papa qui s'appelle Philippe.

— Pourquoi ça ? demanda Simon très ému.

Le gars se frottait les mains. Il reprit :

— Parce que si tu en avais un, il serait le mari de ta
maman.

Simon se troubla devant la justesse de ce raisonnement ;
néanmoins il répondit : — « C'est mon papa tout de
même. »

— Ça se peut bien, dit le gars en ricanant, mais ce n'est
pas ton papa tout à fait.

Le petit à la Blanchotte courba la tête et s'en alla rêveur
du côté de la forge au père Loizon, où travaillait Philippe.

Cette forge était comme ensevelie sous des arbres. Il y
faisait très sombre ; seule, la lueur rouge d'un foyer formidable éclairait par grands reflets cinq forgerons aux bras nus
qui frappaient sur leurs enclumes avec un terrible fracas. Ils
se tenaient debout, enflammés comme des démons, les yeux
fixés sur le fer ardent qu'ils torturaient ; et leur lourde pensée montait et retombait avec leurs marteaux.

Simon entra sans être vu et alla tout doucement tirer son

---

1. Colportait des ragots.
2. Sans jamais être absent.

ami par la manche. Celui-ci se retourna. Soudain le travail s'interrompit, et tous les hommes regardèrent, très attentifs. Alors, au milieu de ce silence inaccoutumé, monta la petite voix frêle de Simon.

— Dis donc, Philippe, le gars à la Michaude qui m'a conté tout à l'heure que tu n'étais pas mon papa tout à fait.

— Pourquoi ça ? demanda l'ouvrier.

L'enfant répondit avec toute sa naïveté :

— Parce que tu n'es pas le mari de maman.

Personne ne rit. Philippe resta debout, appuyant son front sur le dos de ses grosses mains que supportait le manche de son marteau dressé sur l'enclume[1]. Il rêvait. Ses quatre compagnons le regardaient et, tout petit entre ces géants, Simon, anxieux, attendait. Tout à coup, un des forgerons, répondant à la pensée de tous, dit à Philippe :

— C'est tout de même une bonne et brave fille que la Blanchotte, et vaillante et rangée malgré son malheur, et qui serait une digne femme pour un honnête homme.

— Ça, c'est vrai, dirent les trois autres.

L'ouvrier continua :

— Est-ce sa faute, à cette fille, si elle a failli ? On lui avait promis mariage, et j'en connais plus d'une qu'on respecte bien aujourd'hui et qui en a fait tout autant.

— Ça, c'est vrai, répondirent en chœur les trois hommes.

Il reprit : — « Ce qu'elle a peiné la pauvre, pour élever son gars toute seule, et ce qu'elle a pleuré depuis qu'elle ne sort plus que pour aller à l'église, il n'y a que le bon Dieu qui le sait. »

— C'est encore vrai, dirent les autres.

Alors on n'entendit plus que le soufflet qui activait le feu du foyer. Philippe, brusquement, se pencha vers Simon :

---

1. Bloc de métal sur lequel est martelé le fer rouge.

— Va dire à ta maman que j'irai lui parler ce soir.

Puis il poussa l'enfant dehors par les épaules.

Il revint à son travail et, d'un seul coup, les cinq marteaux retombèrent ensemble sur les enclumes. Ils battirent ainsi le fer jusqu'à la nuit, forts, puissants, joyeux comme des marteaux satisfaits. Mais, de même que le bourdon[1] d'une cathédrale résonne dans les jours de fête au-dessus du tintement des autres cloches, ainsi le marteau de Philippe, dominant le fracas des autres, s'abattait de seconde en seconde avec un vacarme assourdissant. Et lui, l'œil allumé, forgeait passionnément, debout dans les étincelles.

Le ciel était plein d'étoiles quand il vint frapper à la porte de la Blanchotte. Il avait sa blouse[2] des dimanches, une chemise fraîche et la barbe faite. La jeune femme se montra sur le seuil et lui dit d'un air peiné :

— « C'est mal de venir ainsi la nuit tombée, monsieur Philippe. »

Il voulut répondre, balbutia et resta confus devant elle.

Elle reprit : — « Vous comprenez bien pourtant qu'il ne faut plus que l'on parle de moi. »

Alors, lui, tout à coup :

— Qu'est-ce que ça fait, dit-il, si vous voulez être ma femme !

Aucune voix ne lui répondit, mais il crut entendre dans l'ombre de la chambre le bruit d'un corps qui s'affaissait. Il entra bien vite ; et Simon, qui était couché dans son lit, distingua le son d'un baiser et quelques mots que sa mère murmurait bien bas. Puis, tout à coup, il se sentit enlevé dans les mains de son ami, et celui-ci, le tenant au bout de ses bras d'hercule, lui cria :

— Tu leur diras, à tes camarades, que ton papa c'est Phi-

---

1. Grosse cloche au son grave.
2. Ample chemise portée sur le pantalon.

lippe Rémy, le forgeron, et qu'il ira tirer les oreilles à tous ceux qui te feront du mal.

Le lendemain, comme l'école était pleine et que la classe allait commencer, le petit Simon se leva, tout pâle et les lèvres tremblantes : — «Mon papa, dit-il d'une voix claire, c'est Philippe Rémy, le forgeron, et il a promis qu'il tirerait les oreilles à tous ceux qui me feraient du mal.»

Cette fois, personne ne rit plus, car on le connaissait bien ce Philippe Rémy, le forgeron, et c'était un papa, celui-là, dont tout le monde eût été fier.

Le Saut du Berger [1]

De Dieppe au Havre, la côte présente une falaise ininterrompue, haute de cent mètres environ, et droite comme une muraille. De place en place, cette grande ligne de rochers blancs s'abaisse brusquement, et une petite vallée étroite, aux pentes rapides couvertes de gazon ras et de joncs marins, descend du plateau cultivé vers une plage de galet où elle aboutit par un ravin semblable au lit d'un torrent. La nature a fait ces vallées, les pluies d'orage les ont terminées par ces ravins, entaillant ce qui restait de falaise, creusant jusqu'à la mer le lit des eaux qui sert de passage aux hommes.

Quelquefois un village est blotti dans ces vallons, où s'engouffre le vent du large.

J'ai passé l'été dans une de ces échancrures de la côte, logé chez un paysan, dont la maison, tournée vers les flots, me laissait voir de ma fenêtre un grand triangle d'eau bleue encadrée par les pentes vertes du val, et tachée parfois de voiles blanches passant au loin dans un coup de soleil.

Le chemin allant vers la mer suivait le fond de la gorge, et brusquement s'enfonçait entre deux parois de marne [2],

1. Conte publié en mars 1882 dans le journal *Gil Blas*, puis dans le recueil *Le Père Milon* (Folio classique n° 3885).
2. Mélange d'argile et de calcaire.

devenait une sorte d'ornière profonde, avant de déboucher sur une belle nappe de cailloux roulés, arrondis et polis par la séculaire caresse des vagues.

Ce passage encaissé s'appelle le « Saut du Berger ».

Voici le drame qui l'a fait ainsi nommer :

*

On raconte qu'autrefois ce village était gouverné[1] par un jeune prêtre austère et violent. Il était sorti du séminaire plein de haine pour ceux qui vivent selon les lois naturelles et non suivant celles de son Dieu. D'une inflexible[2] sévérité pour lui-même, il se montra pour les autres d'une implacable[3] intolérance ; une chose surtout le soulevait de colère et de dégoût : l'amour. S'il eût vécu dans les villes, au milieu des civilisés et des raffinés qui dissimulent derrière les voiles délicats du sentiment et de la tendresse, les actes brutaux que la nature commande, s'il eût confessé dans l'ombre des grandes nefs élégantes les pécheresses parfumées dont les fautes semblent adoucies par la grâce de la chute et l'enveloppement d'idéal autour du baiser matériel, il n'aurait pas senti peut-être ces révoltes folles, ces fureurs désordonnées qu'il avait en face de l'accouplement malpropre des loqueteux dans la boue d'un fossé ou sur la paille d'une grange.

Il les assimilait aux brutes, ces gens-là qui ne connaissaient point l'amour, et qui s'unissaient seulement à la façon des animaux ; et il les haïssait pour la grossièreté de leur âme, pour le sale assouvissement[4] de leur instinct, pour la gaieté

---

1. Sens intentionnellement fort.
2. Qui ne peut être adouci.
3. Qui ne saurait être apaisé.
4. Satisfaction.

répugnante des vieux lorsqu'ils parlaient encore de ces immondes plaisirs.

Peut-être aussi était-il, malgré lui, torturé par l'angoisse d'appétits inapaisés et sourdement travaillé par la lutte de son corps révolté contre un esprit despotique et chaste.

Mais tout ce qui touchait à la chair[1] l'indignait, le jetait hors de lui ; et ses sermons violents, pleins de menaces et d'allusions furieuses, faisaient ricaner les filles et les gars qui se coulaient des regards en dessous à travers l'église ; tandis que les fermiers en blouse bleue et les fermières en mante noire se disaient au sortir de la messe, en retournant vers la masure[2] dont la cheminée jetait sur le ciel un filet de fumée bleue : « l' ne plaisante pas là-dessus, mo'sieu le curé. »

Une fois même et pour rien il s'emporta jusqu'à perdre la raison. Il allait voir une malade. Or, dès qu'il eut pénétré dans la cour de la ferme, il aperçut un tas d'enfants, ceux de la maison et ceux des voisins, attroupés autour de la niche du chien. Ils regardaient curieusement quelque chose, immobiles, avec une attention concentrée et muette. Le prêtre s'approcha. C'était la chienne qui mettait bas. Devant sa niche, cinq petits grouillaient autour de la mère qui les léchait avec tendresse, et, au moment où le curé allongeait sa tête par-dessus celles des enfants, un sixième petit toutou parut. Tous les galopins alors, saisis de joie, se mirent à crier en battant des mains : « En v'là encore un, en v'là encore un ! » C'était un jeu pour eux, un jeu naturel où rien d'impur n'entrait ; ils contemplaient cette naissance comme ils auraient regardé tomber des pommes. Mais l'homme à la robe noire fut crispé d'indignation, et la tête perdue, levant son grand parapluie bleu, il se mit à battre les enfants.

---

1. Désir sexuel.
2. Maison, sans nuance péjorative.

Ils s'enfuirent à toutes jambes. Alors lui, se trouvant seul en face de la chienne en gésine[1], frappa sur elle à tour de bras. Enchaînée elle ne pouvait s'enfuir, et comme elle se débattait en gémissant, il monta dessus, l'écrasant sous ses pieds, lui fit mettre au monde un dernier petit, et il l'acheva à coups de talon. Puis il laissa le corps saignant au milieu des nouveau-nés, piaulants et lourds, qui cherchaient déjà les mamelles.

Il faisait de longues courses, solitairement, à grands pas, avec un air sauvage.

Or, comme il revenait d'une promenade éloignée, un soir du mois de mai, et qu'il suivait la falaise en regagnant le village, un grain[2] furieux l'assaillit. Aucune maison en vue, partout la côte nue que l'averse criblait de flèches d'eau.

La mer houleuse roulait ses écumes ; et les gros nuages sombres accouraient de l'horizon avec des redoublements de pluie. Le vent sifflait, soufflait, couchait les jeunes récoltes, et secouait l'abbé ruisselant, collait à ses jambes la soutane traversée, emplissait de bruit ses oreilles et son cœur exalté[3] de tumulte.

Il se découvrit, tendant son front à l'orage, et peu à peu il approchait de la descente sur le pays. Mais une telle rafale l'atteignit qu'il ne pouvait plus avancer, et soudain, il aperçut auprès d'un parc à moutons la hutte ambulante d'un berger.

C'était un abri, il y courut.

Les chiens fouettés par l'ouragan ne remuèrent pas à son approche ; et il parvint jusqu'à la cabane en bois, sorte de

---

1. En train de mettre bas, de donner naissance.
2. Coup de vent accompagné de pluie.
3. Surexcité.

niche perchée sur des roues, que les gardiens de troupeaux traînent, pendant l'été, de pâturage en pâturage.

Au-dessus d'un escabeau, la porte basse était ouverte, laissant voir la paille du dedans.

Le prêtre allait entrer quand il aperçut dans l'ombre un couple amoureux qui s'étreignait. Alors, brusquement, il ferma l'auvent et l'accrocha ; puis, s'attelant aux brancards, courbant sa taille maigre, tirant comme un cheval, et haletant sous sa robe de drap trempée, il courut, entraînant vers la pente rapide, la pente mortelle, les jeunes gens surpris enlacés, qui heurtaient la cloison du poing, croyant sans doute à quelque farce d'un passant.

Lorsqu'il fut au haut de la descente, il lâcha la légère demeure, qui se mit à rouler sur la côte inclinée.

Elle précipitait sa course, emportée follement, allant toujours plus vite, sautant, trébuchant comme une bête, battant la terre de ses brancards.

Un vieux mendiant blotti dans un fossé la vit passer, d'un élan, sur sa tête et il entendit des cris affreux poussés dans le coffre de bois [1].

Tout à coup elle perdit une roue arrachée d'un choc, s'abattit sur le flanc, et se remit à dévaler comme une boule, comme une maison déracinée dégringolerait du sommet d'un mont, puis, arrivant au rebord du dernier ravin, elle bondit en décrivant une courbe et, tombant au fond, s'y creva comme un œuf.

On les ramassa l'un et l'autre, les amoureux, broyés, pilés, tous les membres rompus, mais étreints, toujours, les bras liés aux cous dans l'épouvante comme pour le plaisir.

Le curé refusa l'entrée de l'église à leurs cadavres et sa bénédiction à leurs cercueils.

Et le dimanche, au prône, il parla avec emportement du

---

1. Évocation d'un cercueil.

septième commandement de Dieu[1], menaçant les amoureux d'un bras vengeur et mystérieux, et citant l'exemple terrible des deux malheureux tués dans leur péché.

Comme il sortait de l'église, deux gendarmes l'arrêtèrent.

Un douanier gîté dans un trou de garde avait vu. Il fut condamné aux travaux forcés.

*

Et le paysan dont je tiens cette histoire ajouta gravement :

« Je l'ai connu, moi, monsieur. C'était un rude homme tout de même, mais il n'aimait pas la bagatelle[2]. »

---

1. Erreur de l'auteur ; il s'agit du sixième commandement : « Tu ne commettras pas d'impureté. »
2. L'acte sexuel.

Histoire vraie [1]

Un grand vent soufflait au-dehors, un vent d'automne mugissant et galopant, un de ces vents qui tuent les dernières feuilles et les emportent jusqu'aux nuages.

Les chasseurs achevaient leur dîner, encore bottés, rouges, animés, allumés [2]. C'étaient de ces demi-seigneurs normands, mi-hobereaux [3], mi-paysans, riches et vigoureux, taillés pour casser les cornes des bœufs lorsqu'ils les arrêtent dans les foires.

Ils avaient chassé tout le jour sur les terres de maître Blondel, le maire d'Éparville, et ils mangeaient maintenant autour de la grande table, dans l'espèce de ferme-château dont était propriétaire leur hôte [4].

Ils parlaient comme on hurle, riaient comme rugissent les fauves, et buvaient comme des citernes, les jambes allongées, les coudes sur la nappe, les yeux luisants sous la flamme des lampes, chauffés par un foyer formidable qui jetait au plafond des lueurs sanglantes ; ils causaient de chasse et de chiens. Mais ils étaient, à l'heure où d'autres idées viennent

---

1. Conte publié en juin 1882 dans le journal *Le Gaulois*, puis dans le recueil *Contes du jour et de la nuit* (Folio classique n° 1558).
2. Enflammés (par la boisson).
3. Petits nobles exploitant leur terre.
4. Personne qui reçoit.

aux hommes, à moitié gris, et tous suivaient de l'œil une forte fille aux joues rebondies qui portait au bout de ses poings rouges les larges plats chargés de nourritures.

Soudain un grand diable qui était devenu vétérinaire après avoir étudié pour être prêtre, et qui soignait toutes les bêtes de l'arrondissement, M. Séjour, s'écria :

— Crébleu, maît' Blondel, vous avez là une bobonne[1] qui n'est pas piquée des vers.

Et un rire retentissant éclata. Alors un vieux noble déclassé, tombé dans l'alcool, M. de Varnetot, éleva la voix :

— C'est moi qui ai eu jadis une drôle d'histoire avec une fillette comme ça ! Tenez, il faut que je vous la raconte. Toutes les fois que j'y pense, ça me rappelle Mirza, ma chienne, que j'avais vendue au comte d'Haussonnel et qui revenait tous les jours, dès qu'on la lâchait, tant elle ne pouvait me quitter. À la fin je m' suis fâché et j'ai prié l' comte de la tenir à la chaîne. Savez-vous c' qu'elle a fait c'te bête ? Elle est morte de chagrin.

Mais, pour en revenir à ma bonne, v'là l'histoire :

— J'avais alors vingt-cinq ans et je vivais en garçon[2], dans mon château de Villebon. Vous savez, quand on est jeune, et qu'on a des rentes, et qu'on s'embête tous les soirs après dîner, on a l'œil de tous les côtés.

Bientôt je découvris une jeunesse qui était en service chez Déboultot, de Cauville. Vous avez bien connu Déboultot, vous, Blondel ! Bref, elle m'enjôla si bien, la gredine, que j'allai un jour trouver son maître et je lui proposai une affaire. Il me céderait sa servante et je lui vendrais ma jument noire, Cocote, dont il avait envie depuis bientôt deux ans. Il me tendit la main « Topez-là[3], monsieur de Var-

---

1. Terme familier pour désigner une « bonne », une servante.
2. En célibataire.
3. « Frappez dans ma main » : signe traditionnel d'accord.

netot.» C'était marché conclu; la petite vint au château et je conduisis moi-même à Cauville ma jument, que je laissai pour trois cents écus.

Dans les premiers temps, ça alla comme sur des roulettes. Personne ne se doutait de rien; seulement Rose m'aimait un peu trop pour mon goût. C't' enfant-là, voyez-vous, ce n'était pas n'importe qui. Elle devait avoir quéqu' chose de pas commun dans les veines. Ça venait encore de quéqu' fille qui aura fauté avec son maître.

Bref, elle m'adorait. C'étaient des cajoleries, des mamours, des p'tits noms de chien, un tas d' gentillesses à me donner des réflexions.

Je me disais : «Faut pas qu' ça dure, ou je me laisserai prendre!» Mais on ne me prend pas facilement, moi. Je ne suis pas de ceux qu'on enjôle[1] avec deux baisers. Enfin j'avais l'œil, quand elle m'annonça qu'elle était grosse[2].

Pif! pan! c'est comme si on m'avait tiré deux coups de fusil dans la poitrine. Et elle m'embrassait, elle m'embrassait, elle riait, elle dansait, elle était folle, quoi! Je ne dis rien le premier jour; mais, la nuit, je me raisonnai. Je pensais : «Ça y est; mais faut parer le coup, et couper le fil, il n'est que temps.» Vous comprenez, j'avais mon père et ma mère à Barneville, et ma sœur mariée au marquis d'Yspare, à Rollebec, à deux lieues de Villebon. Pas moyen de blaguer.

Mais comment me tirer d'affaire? Si elle quittait la maison, on se douterait de quelque chose et on jaserait. Si je la gardais, on verrait bientôt l' bouquet[3]; et puis, je ne pouvais la lâcher comme ça.

J'en parlai à mon oncle, le baron de Creteuil, un vieux

---

1. Séduit.
2. Enceinte (terme réservé aux femelles).
3. Issue («bouquet» final d'un feu d'artifice).

lapin qui en a connu plus d'une, et je lui demandai un avis. Il me répondit tranquillement :

— Il faut la marier, mon garçon.

Je fis un bond.

— La marier, mon oncle, mais avec qui ?

Il haussa doucement les épaules :

— Avec qui tu voudras, c'est ton affaire et non la mienne. Quand on n'est pas bête on trouve toujours.

Je réfléchis bien huit jours à cette parole, et je finis par me dire à moi-même : « Il a raison, mon oncle. »

Alors, je commençai à me creuser la tête et à chercher ; quand un soir le juge de paix, avec qui je venais de dîner, me dit :

— Le fils de la mère Paumelle vient encore de faire une bêtise ; il finira mal, ce garçon-là. Il est bien vrai que bon chien chasse de race [1].

Cette mère Paumelle était une vieille rusée dont la jeunesse avait laissé à désirer. Pour un écu, elle aurait vendu certainement son âme, et son garnement de fils par-dessus le marché.

J'allai la trouver, et tout doucement, je lui fis comprendre la chose.

Comme je m'embarrassais dans mes explications, elle me demanda tout à coup :

— Qué qu' vous lui donnerez, à c'te p'tite ?

Elle était maligne, la vieille, mais moi, pas bête, j'avais préparé mon affaire.

Je possédais justement trois lopins [2] de terre perdus auprès de Sasseville, qui dépendaient de mes trois fermes de Villebon. Les fermiers se plaignaient toujours que c'était loin ; bref, j'avais repris ces trois champs, six

---

1. Donc les enfants ressemblent aux parents.
2. Petite surface de terrain.

acres[1] en tout, et, comme mes paysans criaient, je leur avais remis, pour jusqu'à la fin de chaque bail[2], toutes leurs redevances en volailles. De cette façon, la chose passa. Alors, ayant acheté un bout de côte à mon voisin, M. d'Aumonté, je faisais construire une masure dessus, le tout pour quinze cents francs[3]. De la sorte, je venais de constituer un petit bien qui ne me coûtait pas grand'chose, et je le donnais en dot[4] à la fillette.

La vieille se récria : ce n'était pas assez ; mais je tins bon, et nous nous quittâmes sans rien conclure.

Le lendemain, dès l'aube, le gars vint me trouver. Je ne me rappelais guère sa figure. Quand je le vis, je me rassurai ; il n'était pas mal pour un paysan ; mais il avait l'air d'un rude coquin.

Il prit la chose de loin, comme s'il venait acheter une vache. Quand nous fûmes d'accord, il voulut voir le bien ; et nous voilà partis à travers champs. Le gredin me fit bien rester trois heures sur les terres ; il les arpentait, les mesurait, en prenait des mottes qu'il écrasait dans ses mains, comme s'il avait peur d'être trompé sur la marchandise. La masure n'étant pas encore couverte, il exigea de l'ardoise au lieu de chaume parce que cela demande moins d'entretien !

Puis il me dit :

— Mais l' mobilier, c'est vous qui le donnez.

Je protestai :

— Non pas ; c'est déjà beau de vous donner une ferme.

Il ricana :

— J' crai ben, une ferme et un éfant.

---

1. Environ 30 000 m² c'est-à-dire 3 hectares.
2. Contrat et coût de location.
3. Une jolie somme.
4. Argent ou bien donné autrefois par les parents d'une fille qui se marie.

Je rougis malgré moi. Il reprit :

— Allons, vous donnerez l' lit, une table, l'ormoire, trois chaises et pi la vaisselle, ou ben rien d' fait.

J'y consentis.

Et nous voilà en route pour revenir. Il n'avait pas encore dit un mot de la fille. Mais tout à coup, il demanda d'un air sournois et gêné :

— Mais, si a mourait, à qui qu'il irait, çu bien ?

Je répondis :

— Mais, à vous, naturellement.

C'était tout ce qu'il voulait savoir depuis le matin. Aussitôt, il me tendit la main d'un mouvement satisfait. Nous étions d'accord.

Oh ! par exemple, j'eus du mal pour décider Rose. Elle se traînait à mes pieds, elle sanglotait, elle répétait : « C'est vous qui me proposez ça ! c'est vous ! c'est vous ! » Pendant plus d'une semaine, elle résista malgré mes raisonnements et mes prières. C'est bête, les femmes ; une fois qu'elles ont l'amour en tête, elles ne comprennent plus rien. Il n'y a pas de sagesse qui tienne, l'amour avant tout, tout pour l'amour !

À la fin je me fâchai et la menaçai de la jeter dehors. Alors elle céda peu à peu, à condition que je lui permettrais de venir me voir de temps en temps.

Je la conduisis moi-même à l'autel, je payai la cérémonie, j'offris à dîner à toute la noce. Je fis grandement les choses, enfin. Puis : « Bonsoir mes enfants ! » J'allai passer six mois chez mon frère en Touraine.

Quand je fus de retour, j'appris qu'elle était venue chaque semaine au château me demander. Et j'étais à peine arrivé depuis une heure que je la vis entrer avec un marmot dans les bras. Vous me croirez si vous voulez, mais ça me fit quelque chose de voir ce mioche. Je crois même que je l'embrassai.

Quant à la mère, une ruine, un squelette, une ombre. Maigre, vieillie. Bigre de bigre, ça ne lui allait pas le mariage ! Je lui demandai machinalement :

— Es-tu heureuse ?

Alors elle se mit à pleurer comme une source, avec des hoquets, des sanglots, et elle criait :

— Je n' peux pas, je n' peux pas m' passer de vous maintenant. J'aime mieux mourir, je n' peux pas !

Elle faisait un bruit du diable. Je la consolai comme je pus et je la reconduisis à la barrière.

J'appris en effet que son mari la battait ; et que sa belle-mère lui rendait la vie dure, la vieille chouette.

Deux jours après elle revenait. Et elle me prit dans ses bras, elle se traîna par terre :

— Tuez-moi, mais je n' veux pas retourner là-bas.

Tout à fait ce qu'aurait dit Mirza si elle avait parlé !

Ça commençait à m'embêter, toutes ces histoires ; et je filai pour six mois encore. Quand je revins... Quand je revins, j'appris qu'elle était morte trois semaines auparavant, après être revenue au château tous les dimanches... toujours comme Mirza. L'enfant aussi était mort huit jours après.

Quant au mari, le madré coquin, il héritait. Il a bien tourné depuis, paraît-il, il est maintenant conseiller municipal.

Puis, M. de Varnetot ajouta en riant :

— C'est égal, c'est moi qui ai fait sa fortune à celui-là !

Et M. Séjour, le vétérinaire, conclut gravement en portant à sa bouche un verre d'eau-de-vie :

— Tout ce que vous voudrez, mais des femmes comme ça, il n'en faut pas.

La Rempailleuse [1]

À *Léon Hennique* [2].

C'était à la fin du dîner d'ouverture de chasse chez le marquis de Bertrans. Onze chasseurs, huit jeunes femmes et le médecin du pays étaient assis autour de la grande table illuminée, couverte de fruits et de fleurs.

On vint à parler d'amour, et une grande discussion s'éleva, l'éternelle discussion, pour savoir si on pouvait aimer vraiment une fois ou plusieurs fois. On cita des exemples de gens n'ayant jamais eu qu'un amour sérieux ; on cita aussi d'autres exemples de gens ayant aimé souvent, avec violence. Les hommes, en général, prétendaient que la passion, comme les maladies, peut frapper plusieurs fois le même être, et le frapper à le tuer si quelque obstacle se dresse devant lui. Bien que cette manière de voir ne fût pas contestable, les femmes, dont l'opinion s'appuyait sur la poésie bien plus que sur l'observation, affirmaient que l'amour, l'amour vrai, le grand amour, ne pouvait tomber qu'une fois sur un mortel, qu'il était semblable à la foudre, cet amour, et qu'un cœur touché par lui demeurait ensuite

1. Conte publié en septembre 1882 dans le journal *Le Gaulois*, puis le recueil *Contes de la bécasse* (Folio classique n° 3241).
2. Romancier du Groupe de Médan.

tellement vidé, ravagé, incendié, qu'aucun autre sentiment puissant, même aucun rêve, n'y pouvait germer de nouveau.

Le marquis ayant aimé beaucoup, combattait vivement cette croyance :

— Je vous dis, moi, qu'on peut aimer plusieurs fois avec toutes ses forces et toute son âme. Vous me citez des gens qui se sont tués par amour, comme preuve de l'impossibilité d'une seconde passion. Je vous répondrai que, s'ils n'avaient pas commis cette bêtise de se suicider, ce qui leur enlevait toute chance de rechute, ils se seraient guéris ; et ils auraient recommencé, et toujours, jusqu'à leur mort naturelle. Il en est des amoureux comme des ivrognes. Qui a bu boira — qui a aimé aimera. C'est une affaire de tempérament [1], cela.

On prit pour arbitre le docteur, vieux médecin parisien retiré aux champs, et on le pria de donner son avis.

Justement il n'en avait pas :

— Comme l'a dit le marquis, c'est une affaire de tempérament ; quant à moi, j'ai eu connaissance d'une passion qui dura cinquante-cinq ans sans un jour de répit, et qui ne se termina que par la mort.

La marquise battit des mains.

— Est-ce beau cela ! Et quel rêve d'être aimé ainsi ! Quel bonheur de vivre cinquante-cinq ans tout enveloppé de cette affection acharnée et pénétrante ! Comme il a dû être heureux et bénir la vie, celui qu'on adora de la sorte !

Le médecin sourit :

— En effet, madame, vous ne vous trompez pas sur ce point, que l'être aimé fut un homme. Vous le connaissez, c'est M. Chouquet, le pharmacien du bourg. Quant à elle, la femme, vous l'avez connue aussi, c'est la vieille rem-

---

1. Personnalité physique et psychologique d'un individu.

pailleuse de chaises qui venait tous les ans au château. Mais je vais me faire mieux comprendre.

L'enthousiasme des femmes était tombé ; et leur visage dégoûté disait : « Pouah ! », comme si l'amour n'eût dû frapper que des êtres fins et distingués, seuls dignes de l'intérêt des gens comme il faut.

Le médecin reprit :

— J'ai été appelé, il y a trois mois, auprès de cette vieille femme, à son lit de mort. Elle était arrivée, la veille, dans la voiture qui lui servait de maison, traînée par la rosse [1] que vous avez vue, et accompagnée de ses deux grands chiens noirs, ses amis et ses gardiens. Le curé était déjà là. Elle nous fit ses exécuteurs testamentaires, et, pour nous dévoiler le sens de ses volontés dernières, elle nous raconta toute sa vie. Je ne sais rien de plus singulier et de plus poignant.

Son père était rempailleur et sa mère rempailleuse. Elle n'a jamais eu de logis planté en terre.

Toute petite, elle errait, haillonneuse, vermineuse [2], sordide [3]. On s'arrêtait à l'entrée des villages, le long des fossés ; on dételait la voiture ; le cheval broutait ; le chien dormait, le museau sur ses pattes ; et la petite se roulait dans l'herbe pendant que le père et la mère rafistolaient, à l'ombre des ormes du chemin, tous les vieux sièges de la commune. On ne parlait guère, dans cette demeure ambulante. Après les quelques mots nécessaires pour décider qui ferait le tour des maisons en poussant le cri bien connu : « Remmmpailleur de chaises ! » on se mettait à tortiller la paille, face à face ou côte à côte. Quand l'enfant allait trop loin ou tentait d'entrer en relations avec quelque galopin du village, la voix colère du père la rappelait : « Veux-tu bien

---

1. Cheval vieux ou malade.
2. Porteuse de parasites comme les poux, les vers.
3. Très sale (au sens initial).

revenir ici, crapule !» C'étaient les seuls mots de tendresse qu'elle entendait.

Quand elle devint plus grande, on l'envoya faire la récolte des fonds de siège avariés. Alors elle ébaucha[1] quelques connaissances de place en place avec les gamins ; mais c'étaient alors les parents de ses nouveaux amis qui rappelaient brutalement leurs enfants : « Veux-tu bien venir ici, polisson ! Que je te voie causer avec les va-nu-pieds !... »

Souvent les petits gars lui jetaient des pierres.

Des dames lui ayant donné quelques sous, elle les garda soigneusement.

Un jour — elle avait alors onze ans — comme elle passait par ce pays, elle rencontra derrière le cimetière le petit Chouquet qui pleurait parce qu'un camarade lui avait volé deux liards[2]. Ces larmes d'un petit bourgeois, d'un de ces petits qu'elle s'imaginait, dans sa frêle caboche de déshéritée, être toujours contents et joyeux, la bouleversèrent. Elle s'approcha, et, quand elle connut la raison de sa peine, elle versa entre ses mains toutes ses économies, sept sous, qu'il prit naturellement, en s'essuyant ses larmes. Alors, folle de joie, elle eut l'audace de l'embrasser. Comme il considérait attentivement sa monnaie, il se laissa faire. Ne se voyant ni repoussée, ni battue, elle recommença ; elle l'embrassa à pleins bras, à plein cœur. Puis elle se sauva.

Que se passa-t-il dans cette misérable tête ? S'est-elle attachée à ce mioche parce qu'elle lui avait sacrifié sa fortune de vagabonde, ou parce qu'elle lui avait donné son premier baiser tendre ? Le mystère est le même pour les petits que pour les grands.

Pendant des mois, elle rêva de ce coin de cimetière et

---

1. Commença.
2. Un liard valait le quart d'un sou.

de ce gamin. Dans l'espérance de le revoir, elle vola ses parents, grappillant un sou par-ci, un sou par-là, sur un rempaillage, ou sur les provisions qu'elle allait acheter.

Quand elle revint, elle avait deux francs dans sa poche, mais elle ne put qu'apercevoir le petit pharmacien, bien propre, derrière les carreaux de la boutique paternelle, entre un bocal rouge et un ténia[1].

Elle ne l'en aima que davantage, séduite, émue, extasiée par cette gloire de l'eau colorée, cette apothéose[2] des cristaux luisants.

Elle garda en elle son souvenir ineffaçable, et, quand elle le rencontra, l'an suivant, derrière l'école, jouant aux billes avec ses camarades, elle se jeta sur lui, le saisit dans ses bras, et le baisa avec tant de violence qu'il se mit à hurler de peur. Alors, pour l'apaiser, elle lui donna son argent : trois francs vingt, un vrai trésor, qu'il regardait avec des yeux agrandis.

Il le prit et se laissa caresser tant qu'elle voulut.

Pendant quatre ans encore, elle versa entre ses mains toutes ses réserves, qu'il empochait avec conscience en échange de baisers consentis. Ce fut une fois trente sous, une fois deux francs, une fois douze sous (elle en pleura de peine et d'humiliation, mais l'année avait été mauvaise), et la dernière fois, cinq francs, une grosse pièce ronde, qui le fit rire d'un rire content.

Elle ne pensait plus qu'à lui ; et il attendait son retour avec une certaine impatience, courait au-devant d'elle en la voyant, ce qui faisait bondir le cœur de la fillette.

Puis il disparut. On l'avait mis au collège. Elle le sut en interrogeant habilement. Alors elle usa d'une diplomatie[3]

---

1. Ver solitaire.
2. Triomphe.
3. Habileté qui est prêtée aux diplomates.

infinie pour changer l'itinéraire de ses parents et les faire
passer par ici au moment des vacances. Elle y réussit, mais
après un an de ruses. Elle était donc restée deux ans sans
le revoir ; et elle le reconnut à peine, tant il était changé,
grandi, embelli, imposant dans sa tunique à boutons d'or. Il
feignit de ne pas la voir et passa fièrement près d'elle.

Elle en pleura pendant deux jours ; et depuis lors elle
souffrit sans fin.

Tous les ans elle revenait ; passait devant lui sans oser le
saluer et sans qu'il daignât même tourner les yeux vers elle.
Elle l'aimait éperdument. Elle me dit : « C'est le seul homme
que j'aie vu sur la terre, monsieur le médecin ; je ne sais pas
si les autres existaient seulement. »

Ses parents moururent. Elle continua leur métier, mais
elle prit deux chiens au lieu d'un, deux terribles chiens qu'on
n'aurait pas osé braver.

Un jour, en rentrant dans ce village où son cœur était
resté, elle aperçut une jeune femme qui sortait de la boutique Chouquet au bras de son bien-aimé. C'était sa femme.
Il était marié.

Le soir même, elle se jeta dans la mare qui est sur la place
de la Mairie. Un ivrogne attardé la repêcha, et la porta à la
pharmacie. Le fils Chouquet descendit en robe de chambre,
pour la soigner, et, sans paraître la reconnaître, la désha-
billa, la frictionna, puis il lui dit d'une voix dure : « Mais vous
êtes folle ! Il ne faut pas être bête comme ça ! »

Cela suffit pour la guérir. Il lui avait parlé ! Elle était heureuse pour longtemps.

Il ne voulut rien recevoir en rémunération[1] de ses soins,
bien qu'elle insistât vivement pour le payer.

Et toute sa vie s'écoula ainsi. Elle rempaillait en songeant
à Chouquet. Tous les ans, elle l'apercevait derrière ses

---

1. Paiement, donc en échange d'un service.

vitraux. Elle prit l'habitude d'acheter chez lui des provisions de menus médicaments. De la sorte elle le voyait de près, et lui parlait, et lui donnait encore de l'argent.

Comme je vous l'ai dit en commençant, elle est morte ce printemps. Après m'avoir raconté toute cette triste histoire, elle me pria de remettre à celui qu'elle avait si patiemment aimé toutes les économies de son existence, car elle n'avait travaillé que pour lui, disait-elle, jeûnant[1] même pour mettre de côté, et être sûre qu'il penserait à elle, au moins une fois, quand elle serait morte.

Elle me donna donc deux mille trois cent vingt-sept francs. Je laissai à M. le Curé les vingt-sept francs pour l'enterrement, et j'emportai le reste quand elle eut rendu le dernier soupir.

Le lendemain, je me rendis chez les Chouquet. Ils achevaient de déjeuner, en face l'un de l'autre, gros et rouges, fleurant les produits pharmaceutiques, importants et satisfaits.

On me fit asseoir ; on m'offrit un kirsch[2], que j'acceptai ; et je commençai mon discours d'une voix émue, persuadé qu'ils allaient pleurer.

Dès qu'il eut compris qu'il avait été aimé de cette vagabonde, de cette rempailleuse, de cette rouleuse, Chouquet bondit d'indignation, comme si elle lui avait volé sa réputation, l'estime des honnêtes gens, son honneur intime, quelque chose de délicat qui lui était plus cher que la vie.

Sa femme, aussi exaspérée que lui, répétait : « Cette gueuse[3] ! cette gueuse ! cette gueuse !... » Sans pouvoir trouver autre chose.

Il s'était levé ; il marchait à grands pas derrière la table,

---

1. En se privant de nourriture.
2. Alcool de cerise.
3. Pauvresse, voir prostituée.

le bonnet grec[1] chaviré sur une oreille. Il balbutiait : « Comprend-on ça, docteur ? Voilà de ces choses horribles pour un homme ! Que faire ? Oh ! si je l'avais su de son vivant, je l'aurais fait arrêter par la gendarmerie et flanquer en prison. Et elle n'en serait pas sortie, je vous en réponds ! »

Je demeurais stupéfait du résultat de ma démarche pieuse. Je ne savais que dire ni que faire. Mais j'avais à compléter ma mission. Je repris : « Elle m'a chargé de vous remettre ses économies, qui montent à deux mille trois cents francs. Comme ce que je viens de vous apprendre semble vous être fort désagréable, le mieux serait peut-être de donner cet argent aux pauvres. »

Ils me regardaient, l'homme et la femme, perclus de saisissement.

Je tirai l'argent de ma poche, du misérable argent de tous les pays et de toutes les marques, de l'or et des sous mêlés. Puis je demandai : « Que décidez-vous ? »

Mme Chouquet parla la première : « Mais, puisque c'était sa dernière volonté, à cette femme... il me semble qu'il nous est bien difficile de refuser. »

Le mari, vaguement confus, reprit : « Nous pourrions toujours acheter avec ça quelque chose pour nos enfants. »

Je dis d'un air sec : « Comme vous voudrez. »

Il reprit : « Donnez toujours, puisqu'elle vous en a chargé ; nous trouverons bien moyen de l'employer à quelque bonne œuvre. »

Je remis l'argent, je saluai, et je partis.

Le lendemain Chouquet vint me trouver et, brusquement : « Mais elle a laissé ici sa voiture, cette... cette femme. Qu'est-ce que vous en faites, de cette voiture ?

— Rien, prenez-la si vous voulez.

---

1. Voir « L'écrivain à sa table de travail », p. 142.

— Parfait; cela me va; j'en ferai une cabane pour mon potager.

Il s'en allait. Je le rappelai. «Elle a laissé aussi son vieux cheval et ses deux chiens. Les voulez-vous?» Il s'arrêta, surpris : «Ah! non, par exemple; que voulez-vous que j'en fasse? Disposez-en comme vous voudrez.» Et il riait. Puis il me tendit sa main que je serrai. Que voulez-vous? Il ne faut pas, dans un pays, que le médecin et le pharmacien soient ennemis.

J'ai gardé les chiens chez moi. Le curé, qui a une grande cour, a pris le cheval. La voiture sert de cabane à Chouquet, et il a acheté cinq obligations[1] de chemin de fer avec l'argent.

Voilà le seul amour profond que j'aie rencontré, dans ma vie.

Le médecin se tut.

Alors la marquise, qui avait des larmes dans les yeux, soupira : «Décidément, il n'y a que les femmes pour savoir aimer!»

---

1. Action boursière sans risque financier.

En mer [1]

À Henry Céard [2].

On lisait dernièrement dans les journaux les lignes suivantes :

BOULOGNE-SUR-MER, 22 janvier. — On nous écrit :

« Un affreux malheur vient de jeter la consternation parmi notre population maritime déjà si éprouvée depuis deux années. Le bateau de pêche commandé par le patron Javel, entrant dans le port, a été jeté à l'Ouest et est venu se briser sur les roches du brise-lames de la jetée.

« Malgré les efforts du bateau de sauvetage et des lignes envoyées au moyen du fusil porte-amarre, quatre hommes et le mousse ont péri.

« Le mauvais temps continue. On craint de nouveaux sinistres. »

Quel est ce patron Javel ? Est-il le frère du manchot ?

Si le pauvre homme roulé par la vague, et mort peut-être sous les débris de son bateau mis en pièces, est celui auquel je pense, il avait assisté, voici dix-huit ans maintenant, à un autre drame, terrible et simple comme sont toujours ces drames formidables des flots.

Javel aîné était alors patron d'un chalutier.

---

1. Conte publié en février 1883 dans le journal *Gil Blas*, puis dans le recueil *Contes de la bécasse* (Folio classique n° 3241).
2. Romancier du Groupe de Médan.

Le chalutier est le bateau de pêche par excellence. Solide à ne craindre aucun temps, le ventre rond, roulé sans cesse par les lames comme un bouchon, toujours dehors, toujours fouetté par les vents durs et salés de la Manche, il travaille la mer, infatigable, la voile gonflée, traînant par le flanc un grand filet qui racle le fond de l'Océan, et détache et cueille toutes les bêtes endormies dans les roches, les poissons plats collés au sable, les crabes lourds aux pattes crochues, les homards aux moustaches pointues.

Quand la brise est fraîche et la vague courte, le bateau se met à pêcher. Son filet est fixé tout le long d'une grande tige de bois garnie de fer qu'il laisse descendre au moyen de deux câbles glissant sur deux rouleaux aux deux bouts de l'embarcation. Et le bateau, dérivant sous le vent et le courant[1], tire avec lui cet appareil qui ravage et dévaste le sol de la mer.

Javel avait à son bord son frère cadet, quatre hommes et un mousse. Il était sorti de Boulogne par un beau temps clair pour jeter le chalut.

Or, bientôt le vent s'éleva, et une bourrasque survenant força le chalutier à fuir. Il gagna les côtes d'Angleterre ; mais la mer démontée battait les falaises, se ruait contre la terre, rendait impossible l'entrée des ports. Le petit bateau reprit le large et revint sur les côtes de France. La tempête continuait à faire infranchissables les jetées, enveloppant d'écume, de bruit et de danger tous les abords des refuges.

Le chalutier repartit encore, courant sur le dos des flots, ballotté, secoué, ruisselant, souffleté par des paquets d'eau, mais gaillard, malgré tout, accoutumé à ces gros temps qui le tenaient parfois cinq ou six jours errant entre les deux pays voisins sans pouvoir aborder l'un ou l'autre.

Puis enfin l'ouragan se calma comme il se trouvait en

---

1. Sous leur action.

pleine mer, et, bien que la vague fût encore forte, le patron commanda de jeter le chalut.

Donc le grand engin de pêche fut passé par-dessus bord, et deux hommes à l'avant, deux hommes à l'arrière, commencèrent à filer[1] sur les rouleaux les amarres qui le tenaient. Soudain il toucha le fond ; mais une haute lame[2] inclinant le bateau, Javel cadet, qui se trouvait à l'avant et dirigeait la descente du filet, chancela, et son bras se trouva saisi entre la corde un instant détendue par la secousse et le bois où elle glissait. Il fit un effort désespéré, tâchant de l'autre main de soulever l'amarre, mais le chalut traînait déjà et le câble roidi ne céda point.

L'homme crispé par la douleur appela. Tous accoururent. Son frère quitta la barre. Ils se jetèrent sur la corde, s'efforçant de dégager le membre qu'elle broyait. Ce fut en vain. « Faut couper », dit un matelot, et il tira de sa poche un large couteau, qui pouvait, en deux coups, sauver le bras de Javel cadet.

Mais couper, c'était perdre le chalut, et ce chalut valait de l'argent, beaucoup d'argent, quinze cents francs ; et il appartenait à Javel aîné, qui tenait à son avoir.

Il cria, le cœur torturé : « Non, coupe pas, attends, je vas lofer[3]. » Et il courut au gouvernail, mettant toute la barre dessous.

Le bateau n'obéit qu'à peine, paralysé par ce filet qui immobilisait son impulsion, et entraîné d'ailleurs par la force de la dérive et du vent.

Javel cadet s'était laissé tomber sur les genoux, les dents serrées, les yeux hagards. Il ne disait rien. Son frère revint,

---

1. Laisser filer, se dérouler.
2. Forte vague.
3. Virer pour se rapprocher du vent.

craignant toujours le couteau d'un marin : «Attends, attends, coupe pas, faut mouiller[1] l'ancre.»

L'ancre fut mouillée, toute la chaîne filée, puis on se mit à virer au cabestan[2] pour détendre les amarres du chalut. Elles s'amollirent, enfin, et on dégagea le bras inerte, sous la manche de laine ensanglantée.

Javel cadet semblait idiot. On lui retira la vareuse et on vit une chose horrible, une bouillie de chairs dont le sang jaillissait à flots qu'on eût dit poussés par une pompe. Alors l'homme regarda son bras et murmura : «Foutu.»

Puis, comme l'hémorragie faisait une mare sur le pont du bateau, un des matelots cria : «Il va se vider, faut nouer la veine.»

Alors ils prirent une ficelle, une grosse ficelle brune et goudronnée, et, enlaçant le membre au-dessus de la blessure, ils serrèrent de toute leur force. Les jets de sang s'arrêtèrent peu à peu ; et finirent par cesser tout à fait.

Javel cadet se leva, son bras pendait à son côté. Il le prit de l'autre main, le souleva, le tourna, le secoua. Tout était rompu, les os cassés ; les muscles seuls retenaient ce morceau de son corps. Il le considérait d'un œil morne, réfléchissant. Puis il s'assit sur une voile pliée, et les camarades lui conseillèrent de mouiller sans cesse la blessure pour empêcher le mal noir[3].

On mit un seau auprès de lui, et, de minute en minute, il puisait dedans au moyen d'un verre, et baignait l'horrible plaie en laissant couler dessus un petit filet d'eau claire.

«Tu serais mieux en bas», lui dit son frère. Il descendit, mais au bout d'une heure il remonta, ne se sentant pas bien

---

1. Jeter l'ancre à l'eau.
2. Treuil enroulant un câble.
3. La gangrène se manifeste par un pourrissement de la chair.

tout seul. Et puis, il préférait le grand air. Il se rassit sur sa voile et recommença à bassiner[1] son bras.

La pêche était bonne. Les larges poissons à ventre blanc gisaient à côté de lui, secoués par des spasmes de mort ; il les regardait sans cesser d'arroser ses chairs écrasées.

Comme on allait regagner Boulogne, un nouveau coup de vent se déchaîna ; et le petit bateau recommença sa course folle, bondissant et culbutant, secouant le triste blessé.

La nuit vint. Le temps fut gros jusqu'à l'aurore. Au soleil levant on apercevait de nouveau l'Angleterre, mais, comme la mer était moins dure, on repartit pour la France en louvoyant[2].

Vers le soir, Javel cadet appela ses camarades et leur montra des traces noires, toute une vilaine apparence de pourriture sur la partie du membre qui ne tenait plus à lui.

Les matelots regardaient, disant leur avis.

« Ça pourrait bien être le Noir », pensait l'un.

« Faudrait de l'iau salée là-dessus », déclarait un autre.

On apporta donc de l'eau salée et on en versa sur le mal. Le blessé devint livide[3], grinça des dents, se tordit un peu ; mais il ne cria pas.

Puis, quand la brûlure se fut calmée : « Donne-moi ton couteau », dit-il à son frère. Le frère tendit son couteau.

« Tiens-moi le bras en l'air, tout droit, tire dessus. »

On fit ce qu'il demandait.

Alors il se mit à couper lui-même. Il coupait doucement, avec réflexion, tranchant les derniers tendons avec cette lame aiguë, comme un fil de rasoir ; et bientôt il n'eut plus

---

1. Mouiller, à l'aide d'une bassine d'eau.
2. En naviguant en zigzag pour utiliser le vent au mieux.
3. Blanc, faute de sang.

qu'un moignon. Il poussa un profond soupir et déclara :
« Fallait ça. J'étais foutu. »

Il semblait soulagé et respirait avec force. Il recommença
à verser de l'eau sur le tronçon de membre qui lui restait.

La nuit fut mauvaise encore et on ne put atterrir.

Quand le jour parut, Javel cadet prit son bras détaché et
l'examina longuement. La putréfaction se déclarait. Les
camarades vinrent aussi l'examiner, et ils se le passaient de
main en main, le tâtaient, le retournaient, le flairaient.

Son frère dit : « Faut jeter ça à la mer à c't' heure. »

Mais Javel cadet se fâcha : « Ah ! mais non, ah ! mais non.
J' veux point. C'est à moi, pas vrai, pisque c'est mon bras. »

Il le reprit et le posa entre ses jambes.

« Il va pas moins pourrir », dit l'aîné. Alors une idée vint
au blessé. Pour conserver le poisson quand on tenait longtemps la mer, on l'empilait en des barils de sel.

Il demanda : « J' pourrions t'y point l' mettre dans la saumure [1]. »

« Ça, c'est vrai », déclarèrent les autres.

Alors on vida un des barils, plein déjà de la pêche des
jours derniers ; et, tout au fond, on déposa le bras. On versa
du sel dessus, puis on replaça, un à un, les poissons.

Un des matelots fit cette plaisanterie : « Pourvu que je l'
vendions point à la criée [2]. »

Et tout le monde rit, hormis les deux Javel.

Le vent soufflait toujours. On louvoya encore en vue de
Boulogne jusqu'au lendemain dix heures. Le blessé continuait sans cesse à jeter de l'eau sur sa plaie.

De temps en temps il se levait et marchait d'un bout à
l'autre du bateau.

---

1. Eau très salée permettant de conserver des aliments à bord.
2. Marché aux poissons.

Son frère, qui tenait la barre, le suivait de l'œil en hochant la tête.

On finit par rentrer au port.

Le médecin examina la blessure et la déclara en bonne voie. Il fit un pansement complet et ordonna le repos. Mais Javel ne voulut pas se coucher sans avoir repris son bras, et il retourna bien vite au port pour retrouver le baril qu'il avait marqué d'une croix.

On le vida devant lui et il ressaisit son membre, bien conservé dans la saumure, ridé, rafraîchi. Il l'enveloppa dans une serviette emportée à cette intention, et rentra chez lui.

Sa femme et ses enfants examinèrent longuement ce débris du père, tâtant les doigts, enlevant les brins de sel restés sous les ongles ; puis on fit venir le menuisier, qui prit mesure pour un petit cercueil.

Le lendemain l'équipage complet du chalutier suivit l'enterrement du bras détaché. Les deux frères, côte à côte, conduisaient le deuil. Le sacristain [1] de la paroisse tenait le cadavre sous son aisselle.

Javel cadet cessa de naviguer. Il obtint un petit emploi dans le port, et, quand il parlait plus tard de son accident, il confiait tout bas à son auditeur : « Si le frère avait voulu couper le chalut, j'aurais encore mon bras, pour sûr. Mais il était regardant [2] à son bien. »

---

1. Employé assurant l'entretien d'une église.
2. Très économe.

Mon oncle Jules [1]

À M. Achille Bénouville [2].

Un vieux pauvre, à barbe blanche, nous demanda l'aumône. Mon camarade Joseph Davranche lui donna cent sous. Je fus surpris. Il me dit :

« Ce misérable m'a rappelé une histoire que je vais te dire et dont le souvenir me poursuit sans cesse. La voici. »

*

Ma famille, originaire du Havre, n'était pas riche. On s'en tirait, voilà tout. Le père travaillait, rentrait tard du bureau et ne gagnait pas grand-chose. J'avais deux sœurs.

Ma mère souffrait beaucoup de la gêne où nous vivions, et elle trouvait souvent des paroles aigres pour son mari, des reproches voilés et perfides. Le pauvre homme avait alors un geste qui me navrait. Il se passait la main ouverte sur le front, comme pour essuyer une sueur qui n'existait pas, et il ne répondait rien. Je sentais sa douleur impuissante. On économisait sur tout ; on n'acceptait jamais un dîner, pour n'avoir pas à le rendre ; on achetait les provi-

---

1. Conte publié en août 1883 dans le journal *Le Gaulois*, puis dans le recueil *Miss Harriet* (Folio classique n° 1036).
2. Peintre impressionniste.

sions au rabais, les fonds de boutique. Mes sœurs faisaient leurs robes elles-mêmes et avaient de longues discussions sur le prix d'un galon qui valait quinze centimes le mètre. Notre nourriture ordinaire consistait en soupe grasse et bœuf accommodé à toutes les sauces. Cela est sain et réconfortant, paraît-il ; j'aurais préféré autre chose.

On me faisait des scènes abominables pour les boutons perdus et les pantalons déchirés.

Mais chaque dimanche nous allions faire notre tour de jetée en grande tenue. Mon père, en redingote[1], en grand chapeau, en gants, offrait le bras à ma mère, pavoisée[2] comme un navire un jour de fête. Mes sœurs, prêtes les premières, attendaient le signal du départ ; mais, au dernier moment, on découvrait toujours une tache oubliée sur la redingote du père de famille, et il fallait bien vite l'effacer avec un chiffon mouillé de benzine.

Mon père, gardant son grand chapeau sur la tête, attendait, en manches de chemise, que l'opération fût terminée, tandis que ma mère se hâtait, ayant ajusté ses lunettes de myope, et ôté ses gants pour ne les pas gâter.

On se mettait en route avec cérémonie. Mes sœurs marchaient devant, en se donnant le bras. Elles étaient en âge de mariage, et on en faisait montre[3] en ville. Je me tenais à gauche de ma mère, dont mon père gardait la droite. Et je me rappelle l'air pompeux de mes pauvres parents dans ces promenades du dimanche, la rigidité de leurs traits, la sévérité de leur allure. Ils avançaient d'un pas grave, le corps droit, les jambes raides, comme si une affaire d'une importance extrême eût dépendu de leur tenue.

---

1. Veste longue, fendue dès la taille pour monter à cheval à l'origine (de l'anglais *riding coat*).
2. Ornée de drapeaux (sens initial).
3. On le montrait avec ostentation.

Et chaque dimanche, en voyant entrer les grands navires qui revenaient de pays inconnus et lointains, mon père prononçait invariablement les mêmes paroles :

« Hein ! si Jules était là-dedans, quelle surprise ! »

Mon oncle Jules, le frère de mon père, était le seul espoir de la famille, après en avoir été la terreur. J'avais entendu parler de lui depuis mon enfance, et il me semblait que je l'aurais reconnu du premier coup, tant sa pensée m'était devenue familière. Je savais tous les détails de son existence jusqu'au jour de son départ pour l'Amérique, bien qu'on ne parlât qu'à voix basse de cette période de sa vie.

Il avait eu, paraît-il, une mauvaise conduite, c'est-à-dire qu'il avait mangé quelque argent, ce qui est bien le plus grand des crimes pour les familles pauvres. Chez les riches, un homme qui s'amuse *fait des bêtises*. Il est ce qu'on appelle, en souriant, un noceur. Chez les nécessiteux, un garçon qui force les parents à écorner[1] le capital devient un mauvais sujet, un gueux, un drôle !

Et cette distinction est juste, bien que le fait soit le même, car les conséquences seules déterminent la gravité de l'acte.

Enfin l'oncle Jules avait notablement diminué l'héritage sur lequel comptait mon père ; après avoir d'ailleurs mangé sa part jusqu'au dernier sou.

On l'avait embarqué pour l'Amérique, comme on faisait alors, sur un navire marchand allant du Havre à New York.

Une fois là-bas, mon oncle Jules s'établit marchand de je ne sais quoi, et il écrivit bientôt qu'il gagnait un peu d'argent et qu'il espérait pouvoir dédommager mon père du tort qu'il lui avait fait. Cette lettre causa dans la famille une émotion profonde. Jules, qui ne valait pas, comme on dit, les quatre fers d'un chien, devint tout à coup un honnête

---

1. Entamer (casser une des deux cornes).

homme, un garçon de cœur, un vrai Davranche, intègre[1] comme tous les Davranche.

Un capitaine nous apprit en outre qu'il avait loué une grande boutique et qu'il faisait un commerce important.

Une seconde lettre, deux ans plus tard, disait : « Mon cher Philippe, je t'écris pour que tu ne t'inquiètes pas de ma santé, qui est bonne. Les affaires aussi vont bien. Je pars demain pour un long voyage dans l'Amérique du Sud. Je serai peut-être plusieurs années sans te donner de mes nouvelles. Si je ne t'écris pas, ne sois pas inquiet. Je reviendrai au Havre une fois fortune faite. J'espère que ce ne sera pas trop long, et nous vivrons heureux ensemble... »

Cette lettre était devenue l'évangile de la famille. On la lisait à tout propos, on la montrait à tout le monde.

Pendant dix ans, en effet, l'oncle Jules ne donna plus de nouvelles ; mais l'espoir de mon père grandissait à mesure que le temps marchait ; et ma mère aussi disait souvent :

« Quand ce bon Jules sera là, notre situation changera. En voilà un qui a su se tirer d'affaire ! »

Et chaque dimanche, en regardant venir de l'horizon les gros vapeurs noirs vomissant sur le ciel des serpents de fumée, mon père répétait sa phrase éternelle :

« Hein ! si Jules était là-dedans, quelle surprise ! »

Et on s'attendait presque à le voir agiter un mouchoir, et crier :

« Ohé ! Philippe. »

On avait échafaudé mille projets sur ce retour assuré ; on devait même acheter, avec l'argent de l'oncle, une petite maison de campagne près d'Ingouville. Je n'affirmerais pas que mon père n'eût point entamé déjà des négociations à ce sujet.

L'aînée de mes sœurs avait alors vingt-huit ans ; l'autre

---

1. Honnête. À l'origine : entier.

vingt-six. Elles ne se mariaient pas, et c'était là un gros chagrin pour tout le monde.

Un prétendant enfin se présenta pour la seconde. Un
employé, pas riche, mais honorable. J'ai toujours eu la
conviction que la lettre de l'oncle Jules, montrée un soir,
avait terminé les hésitations et emporté la résolution du
jeune homme.

On l'accepta avec empressement, et il fut décidé qu'après
le mariage toute la famille ferait ensemble un petit voyage
à Jersey.

Jersey est l'idéal du voyage pour les gens pauvres. Ce
n'est pas loin ; on passe la mer dans un paquebot et on est
en terre étrangère, cet îlot appartenant aux Anglais. Donc,
un Français, avec deux heures de navigation, peut s'offrir la
vue d'un peuple voisin chez lui et étudier les mœurs, déplo-
rables d'ailleurs, de cette île couverte par le pavillon bri-
tannique, comme disent les gens qui parlent avec simplicité.

Ce voyage de Jersey devint notre préoccupation, notre
unique attente, notre rêve de tous les instants.

On partit enfin. Je vois cela comme si c'était d'hier : le
vapeur[1] chauffant contre le quai de Granville ; mon père,
effaré[2], surveillant l'embarquement de nos trois colis ; ma
mère inquiète ayant pris le bras de ma sœur non mariée,
qui semblait perdue depuis le départ de l'autre, comme un
poulet resté seul de sa couvée ; et, derrière nous, les nouveaux époux qui restaient toujours en arrière, ce qui me
faisait souvent tourner la tête.

Le bâtiment siffla. Nous voici montés, et le navire, quit-
tant la jetée, s'éloigna sur une mer plate comme une table
de marbre vert. Nous regardions les côtes s'enfuir, heureux
et fiers comme tous ceux qui voyagent peu.

---

1. Navire à vapeur.
2. Affolé.

Mon père tendait son ventre, sous sa redingote dont on avait, le matin même, effacé avec soin toutes les taches, et il répandait autour de lui cette odeur de benzine des jours de sortie, qui me faisait reconnaître les dimanches.

Tout à coup, il avisa deux dames élégantes à qui deux messieurs offraient des huîtres. Un vieux matelot déguenillé ouvrait d'un coup de couteau les coquilles et les passait aux messieurs, qui les tendaient ensuite aux dames. Elles mangeaient d'une manière délicate, en tenant l'écaille sur un mouchoir fin et en avançant la bouche pour ne point tacher leurs robes. Puis elles buvaient l'eau d'un petit mouvement rapide et jetaient la coquille à la mer.

Mon père, sans doute, fut séduit par cet acte distingué de manger des huîtres sur un navire en marche. Il trouva cela bon genre, raffiné, supérieur, et il s'approcha de ma mère et de mes sœurs en demandant :

« Voulez-vous que je vous offre quelques huîtres ? »

Ma mère hésitait, à cause de la dépense ; mais mes deux sœurs acceptèrent tout de suite. Ma mère dit, d'un ton contrarié :

« J'ai peur de me faire mal à l'estomac. Offre ça aux enfants seulement, mais pas trop, tu les rendrais malades. »

Puis, se tournant vers moi, elle ajouta :

« Quant à Joseph, il n'en a pas besoin ; il ne faut point gâter les garçons. »

Je restai donc à côté de ma mère, trouvant injuste cette distinction. Je suivais de l'œil mon père, qui conduisait pompeusement ses deux filles et son gendre vers le vieux matelot déguenillé.

Les deux dames venaient de partir, et mon père indiquait à mes sœurs comment il fallait s'y prendre pour manger sans laisser couler l'eau ; il voulut même donner l'exemple et il s'empara d'une huître. En essayant d'imiter les dames, il renversa immédiatement tout le liquide sur sa redingote et j'entendis ma mère murmurer :

« Il ferait mieux de se tenir tranquille. »

Mais tout à coup mon père me parut inquiet ; il s'éloigna de quelques pas, regarda fixement sa famille pressée autour de l'écailleur, et, brusquement, il vint vers nous. Il me sembla fort pâle, avec des yeux singuliers. Il dit, à mi-voix, à ma mère :

« C'est extraordinaire, comme cet homme qui ouvre les huîtres ressemble à Jules. »

Ma mère, interdite, demanda :

« Quel Jules ?... »

Mon père reprit :

« Mais... mon frère... Si je ne le savais pas en bonne position[1], en Amérique, je croirais que c'est lui. »

Ma mère effarée balbutia :

« Tu es fou ! Du moment que tu sais bien que ce n'est pas lui, pourquoi dire ces bêtises-là ? »

Mais mon père insistait :

« Va donc le voir, Clarisse ; j'aime mieux que tu t'en assures toi-même, de tes propres yeux. »

Elle se leva et alla rejoindre ses filles. Moi aussi, je regardais l'homme. Il était vieux, sale, tout ridé, et ne détournait pas le regard de sa besogne.

Ma mère revint. Je m'aperçus qu'elle tremblait. Elle prononça très vite :

« Je crois que c'est lui. Va donc demander des renseignements au capitaine. Surtout sois prudent, pour que ce garnement ne nous retombe pas sur les bras, maintenant ! »

Mon père s'éloigna, mais je le suivis. Je me sentais étrangement ému.

---

1. Bonne situation sociale.

Le capitaine, un grand monsieur, maigre, à longs favoris [1], se promenait sur la passerelle d'un air important, comme s'il eût commandé le courrier des Indes [2].

Mon père l'aborda avec cérémonie, en l'interrogeant sur son métier avec accompagnement de compliments :

«Quelle était l'importance de Jersey? Ses productions? Sa population? Ses mœurs? Ses coutumes? La nature du sol», etc., etc.

On eût cru qu'il s'agissait au moins des États-Unis d'Amérique.

Puis on parla du bâtiment qui nous portait, l'*Express*; puis on en vint à l'équipage. Mon père, enfin, d'une voix troublée :

«Vous avez là un vieil écailleur d'huîtres qui paraît bien intéressant. Savez-vous quelques détails sur ce bonhomme?»

Le capitaine, que cette conversation finissait par irriter, répondit sèchement :

«C'est un vieux vagabond français que j'ai trouvé en Amérique l'an dernier, et que j'ai rapatrié. Il a, paraît-il, des parents au Havre, mais il ne veut pas retourner près d'eux, parce qu'il leur doit de l'argent. Il s'appelle Jules... Jules Darmanche ou Darvanche, quelque chose comme ça, enfin. Il paraît qu'il a été riche un moment là-bas, mais vous voyez où il en est réduit maintenant.»

Mon père qui devenait livide, articula, la gorge serrée, les yeux hagards [3] :

«Ah! ah! très bien..., fort bien... Cela ne m'étonne pas... Je vous remercie beaucoup, capitaine.»

---

1. Pattes allongées sur la joue.
2. Transport mi-terrestre, mi-maritime reliant l'Angleterre à l'Inde.
3. Agrandis par la peur.

Et il s'en alla, tandis que le marin le regardait s'éloigner avec stupeur.

Il revint auprès de ma mère, tellement décomposé qu'elle lui dit :

« Assieds-toi ; on va s'apercevoir de quelque chose. »

Il tomba sur le banc en bégayant :

« C'est lui, c'est bien lui ! »

Puis il demanda :

« Qu'allons-nous faire ?... »

Elle répondit vivement :

« Il faut éloigner les enfants. Puisque Joseph sait tout, il va aller les chercher. Il faut prendre garde surtout que notre gendre ne se doute de rien. »

Mon père paraissait atterré. Il murmura :

« Quelle catastrophe ! »

Ma mère ajouta, devenue tout à coup furieuse :

« Je me suis toujours doutée que ce voleur ne ferait rien, et qu'il nous retomberait sur le dos ! Comme si on pouvait attendre quelque chose d'un Davranche !... »

Et mon père se passa la main sur le front, comme il faisait sous les reproches de sa femme.

Elle ajouta :

« Donne de l'argent à Joseph pour qu'il aille payer ces huîtres, à présent. Il ne manquerait plus que d'être reconnus par ce mendiant. Cela ferait un joli effet sur le navire. Allons-nous-en à l'autre bout, et fais en sorte que cet homme n'approche pas de nous ! »

Elle se leva, et ils s'éloignèrent après m'avoir remis une pièce de cent sous.

Mes sœurs, surprises, attendaient leur père. J'affirmai que maman s'était trouvée un peu gênée par la mer, et je demandai à l'ouvreur d'huîtres :

« Combien est-ce que nous vous devons, monsieur ? »

J'avais envie de dire : mon oncle.

Il répondit :

« Deux francs cinquante. »

Je tendis mes cent sous et il me rendit la monnaie.

Je regardais sa main, une pauvre main de matelot toute plissée, et je regardais son visage, un vieux et misérable visage, triste, accablé, en me disant :

« C'est mon oncle, le frère de papa, mon oncle ! »

Je lui laissai dix sous de pourboire. Il me remercia :

« Dieu vous bénisse, mon jeune monsieur ! »

Avec l'accent d'un pauvre qui reçoit l'aumône. Je pensai qu'il avait dû mendier, là-bas !

Mes sœurs me contemplaient, stupéfaites de ma générosité.

Quand je remis les deux francs à mon père, ma mère, surprise, demanda :

« Il y en avait pour trois francs ?... Ce n'est pas possible. »

Je déclarai d'une voix ferme :

« J'ai donné dix sous de pourboire. »

Ma mère eut un sursaut et me regarda dans les yeux :

« Tu es fou ! Donner dix sous à cet homme, à ce gueux !... »

Elle s'arrêta sous un regard de mon père, qui désignait son gendre.

Puis on se tut.

Devant nous, à l'horizon, une ombre violette semblait sortir de la mer. C'était Jersey.

Lorsqu'on approcha des jetées, un désir violent me vint au cœur de voir encore une fois mon oncle Jules, de m'approcher, de lui dire quelque chose de consolant, de tendre.

Mais, comme personne ne mangeait plus d'huîtres, il avait disparu, descendu sans doute au fond de la cale infecte où logeait ce misérable.

Et nous sommes revenus par le bateau de Saint-Malo,

pour ne pas le rencontrer. Ma mère était dévorée d'inquiétude.

Je n'ai jamais revu le frère de mon père !

Voilà pourquoi tu me verras quelquefois donner cent
sous aux vagabonds.

Une vendetta [1]

La veuve de Paolo Saverini habitait seule avec son fils une petite maison pauvre sur les remparts de Bonifacio [2]. La ville, bâtie sur une avancée de la montagne, suspendue même par places au-dessus de la mer, regarde, par-dessus le détroit hérissé d'écueils, la côte plus basse de la Sardaigne. À ses pieds, de l'autre côté, la contournant presque entièrement, une coupure de la falaise, qui ressemble à un gigantesque corridor [3], lui sert de port, amène jusqu'aux premières maisons, après un long circuit entre deux murailles abruptes, les petits bateaux pêcheurs italiens ou sardes, et, chaque quinzaine, le vieux vapeur poussif qui fait le service d'Ajaccio.

Sur la montagne blanche, le tas de maisons pose une tache plus blanche encore. Elles ont l'air de nids d'oiseaux sauvages, accrochées ainsi sur ce roc, dominant ce passage terrible où ne s'aventurent guère les navires. Le vent, sans repos, fatigue la mer, fatigue la côte nue, rongée par lui, à peine vêtue d'herbe ; il s'engouffre dans le détroit, dont il ravage les deux bords. Les traînées d'écume pâle, accrochées aux pointes noires des innombrables rocs qui percent

---

1. Conte publié en octobre 1883 dans le journal *Le Gaulois*, puis dans le recueil *Contes du jour et de la nuit* (Folio classique n° 1558).
2. Au sud de la Corse, face à la Sardaigne.
3. Couloir.

partout les vagues, ont l'air de lambeaux de toiles flottant et palpitant à la surface de l'eau.

La maison de la veuve Saverini, soudée au bord même de la falaise, ouvrait ses trois fenêtres sur cet horizon sauvage et désolé.

Elle vivait là, seule, avec son fils Antoine et leur chienne « Sémillante [1] », grande bête maigre, aux poils longs et rudes, de la race des gardeurs de troupeaux. Elle servait au jeune homme pour chasser.

Un soir, après une dispute, Antoine Saverini fut tué traîtreusement, d'un coup de couteau, par Nicolas Ravolati, qui, la nuit même, gagna la Sardaigne.

Quand la vieille mère reçut le corps de son enfant, que des passants lui rapportèrent, elle ne pleura pas, mais elle demeura longtemps immobile à le regarder ; puis, étendant sa main ridée sur le cadavre, elle lui promit la vendetta [2]. Elle ne voulut point qu'on restât avec elle, et elle s'enferma auprès du corps avec la chienne, qui hurlait. Elle hurlait, cette bête, d'une façon continue, debout au pied du lit, la tête tendue vers son maître, et la queue serrée entre les pattes. Elle ne bougeait pas plus que la mère, qui, penchée maintenant sur le corps, l'œil fixe, pleurait de grosses larmes muettes en le contemplant.

Le jeune homme, sur le dos, vêtu de sa veste de gros drap, trouée et déchirée à la poitrine, semblait dormir ; mais il avait du sang partout : sur la chemise arrachée pour les premiers soins ; sur son gilet, sur sa culotte, sur la face, sur les mains. Des caillots de sang s'étaient figés dans la barbe et dans les cheveux [3].

---

1. Voir « L'écrivain à sa table de travail », p. 141.
2. Vengeance traditionnelle en Corse.
3. Donc sans toilette mortuaire, contrairement à la tradition.

La vieille mère se mit à lui parler. Au bruit de cette voix, la chienne se tut.

— Va, va, tu seras vengé, mon petit, mon garçon, mon pauvre enfant. Dors, dors, tu seras vengé, entends-tu? C'est la mère qui le promet! Et elle tient toujours sa parole, la mère, tu le sais bien.

Et lentement elle se pencha vers lui, collant ses lèvres froides sur les lèvres mortes.

Alors, Sémillante se remit à gémir. Elle poussait une longue plainte monotone, déchirante, horrible.

Elles restèrent là, toutes les deux, la femme et la bête, jusqu'au matin.

Antoine Saverini fut enterré le lendemain, et bientôt on ne parla plus de lui dans Bonifacio.

*

Il n'avait laissé ni frère, ni proches cousins. Aucun homme n'était là pour poursuivre la vendetta. Seule, la mère y pensait, la vieille.

De l'autre côté du détroit, elle voyait du matin au soir un point blanc sur la côte. C'est un petit village sarde, Longosardo, où se réfugient les bandits corses traqués de trop près. Ils peuplent presque seuls ce hameau en face des côtes de leur patrie, et ils attendent là le moment de revenir, de retourner au maquis. C'est dans ce village, elle le savait, que s'était réfugié Nicolas Ravolati.

Toute seule, tout le long du jour, assise à sa fenêtre, elle regardait là-bas en songeant à la vengeance. Comment ferait-elle sans personne, infirme, si près de la mort? Mais elle avait promis, elle avait juré sur le cadavre. Elle ne pouvait oublier, elle ne pouvait attendre. Que ferait-elle? Elle ne dormait plus la nuit; elle n'avait plus ni repos ni apaisement; elle cherchait, obstinée. La chienne, à ses pieds, sommeillait, et, parfois, levant la tête, hurlait au loin. Depuis que son maître n'était plus là, elle hurlait souvent ainsi, comme si elle l'eût appelé, comme si son âme de bête, inconsolable, eût aussi gardé le souvenir que rien n'efface.

Or, une nuit, comme Sémillante se remettait à gémir, la mère, tout à coup, eut une idée, une idée de sauvage vindicatif [1] et féroce. Elle la médita jusqu'au matin ; puis, levée dès les approches du jour, elle se rendit à l'église. Elle pria, prosternée sur le pavé, abattue devant Dieu, le suppliant de l'aider, de la soutenir, de donner à son pauvre corps usé la force qu'il lui fallait pour venger le fils.

Puis elle rentra. Elle avait dans sa cour un ancien baril défoncé, qui recueillait l'eau des gouttières ; elle le renversa, le vida, l'assujettit contre le sol avec des pieux et des pierres ; puis elle enchaîna Sémillante à cette niche, et elle rentra.

Elle marchait maintenant, sans repos, dans sa chambre, l'œil fixé toujours sur la côte de Sardaigne. Il était là-bas, l'assassin.

La chienne, tout le jour et toute la nuit, hurla. La vieille, au matin, lui porta de l'eau dans une jatte ; mais rien de plus, pas de soupe, pas de pain.

La journée encore s'écoula. Sémillante, exténuée, dormait. Le lendemain, elle avait les yeux luisants, le poil hérissé, et elle tirait éperdument sur sa chaîne.

La vieille ne lui donna encore rien à manger. La bête, devenue furieuse, aboyait d'une voix rauque. La nuit encore se passa.

Alors, au jour levé, la mère Saverini alla chez le voisin, prier qu'on lui donnât deux bottes de paille. Elle prit de vieilles hardes qu'avait portées autrefois son mari, et les bourra de fourrage [2], pour simuler un corps humain.

---

1. Désireux de se venger.
2. Herbe sèche pour nourrir le bétail.

Ayant piqué un bâton dans le sol, devant la niche de Sémillante, elle noua dessus ce mannequin, qui semblait ainsi se tenir debout. Puis elle figura la tête au moyen d'un paquet de vieux linge.

La chienne, surprise, regardait cet homme de paille, et se taisait, bien que dévorée de faim.

Alors la vieille alla acheter chez le charcutier un long morceau de boudin noir. Rentrée chez elle, elle alluma un feu de bois dans sa cour, auprès de la niche, et fit griller son boudin. Sémillante, affolée, bondissait, écumait, les yeux fixés sur le gril, dont le fumet lui entrait au ventre.

Puis la mère fit de cette bouillie fumante une cravate à l'homme de paille. Elle la lui ficela longtemps autour du cou, comme pour la lui entrer dedans. Quand ce fut fini, elle déchaîna la chienne.

D'un saut formidable, la bête atteignit la gorge du mannequin, et, les pattes sur les épaules, se mit à la déchirer. Elle retombait, un morceau de sa proie à la gueule, puis s'élançait de nouveau, enfonçait ses crocs dans les cordes, arrachait quelques parcelles de nourriture, retombait encore, et rebondissait, acharnée. Elle enlevait le visage par grands coups de dents, mettait en lambeaux le col entier.

La vieille, immobile et muette, regardait, l'œil allumé. Puis elle renchaîna sa bête, la fit encore jeûner deux jours, et recommença cet étrange exercice.

Pendant trois mois, elle l'habitua à cette sorte de lutte, à ce repas conquis à coups de crocs. Elle ne l'enchaînait plus maintenant, mais elle la lançait d'un geste sur le mannequin.

Elle lui avait appris à le déchirer, à le dévorer, sans même qu'aucune nourriture fût cachée en sa gorge. Elle lui donnait ensuite, comme récompense, le boudin grillé pour elle.

Dès qu'elle apercevait l'homme, Sémillante frémissait, puis tournait les yeux vers sa maîtresse, qui lui criait : « Va ! » d'une voix sifflante, en levant le doigt.

*

Quand elle jugea le temps venu, la mère Saverini alla se confesser et communia un dimanche matin, avec une ferveur extatique[1] ; puis, ayant revêtu des habits de mâle, semblable à un vieux pauvre déguenillé, elle fit marché avec un pêcheur sarde, qui la conduisit, accompagnée de sa chienne, de l'autre côté du détroit.

Elle avait, dans un sac de toile, un grand morceau de boudin. Sémillante jeûnait depuis deux jours. La vieille femme, à tout moment, lui faisait sentir la nourriture odorante, et l'excitait.

Ils entrèrent dans Longosardo. La Corse allait en boitillant. Elle se présenta chez un boulanger et demanda la demeure de Nicolas Ravolati. Il avait repris son ancien métier, celui de menuisier. Il travaillait seul au fond de sa boutique.

La vieille poussa la porte et l'appela :

— Hé ! Nicolas !

Il se tourna ; alors, lâchant sa chienne, elle cria :

— Va, va, dévore, dévore !

L'animal, affolé, s'élança, saisit la gorge. L'homme étendit les bras, l'étreignit, roula par terre. Pendant quelques secondes, il se tordit, battant le sol de ses pieds ; puis il demeura immobile, pendant que Sémillante lui fouillait le cou, qu'elle arrachait par lambeaux. Deux voisins, assis sur leur porte, se rappelèrent parfaitement avoir vu sortir un vieux pauvre avec un chien noir efflanqué qui mangeait, tout en marchant, quelque chose de brun que lui donnait son maître.

La vieille, le soir, était rentrée chez elle. Elle dormit bien, cette nuit-là.

---

1. Comme en adoration.

La Ficelle [1]

À Harry Alis [2].

Sur toutes les routes autour de Goderville, les paysans et leurs femmes s'en venaient vers le bourg ; car c'était jour de marché. Les mâles allaient, à pas tranquilles, tout le corps en avant à chaque mouvement de leurs longues jambes torses, déformées par les rudes travaux, par la pesée sur la charrue qui fait en même temps monter l'épaule gauche et dévier la taille, par le fauchage des blés qui fait écarter les genoux pour prendre un aplomb solide, par toutes les besognes lentes et pénibles de la campagne. Leur blouse bleue, empesée, brillante, comme vernie, ornée au col et aux poignets d'un petit dessin de fil blanc, gonflée autour de leur torse osseux, semblait un ballon prêt à s'envoler, d'où sortaient une tête, deux bras et deux pieds.

Les uns tiraient au bout d'une corde une vache, un veau. Et leurs femmes, derrière l'animal, lui fouettaient les reins d'une branche encore garnie de feuilles, pour hâter sa marche. Elles portaient au bras de larges paniers d'où sortaient des têtes de poulets par-ci, des têtes de canards par-là. Et elles marchaient d'un pas plus court et plus vif que

---

1. Conte publié en novembre 1883 dans le journal *Le Gaulois*, puis dans le recueil *Miss Harriet* (Folio classique n° 1036).
2. Fondateur de revues auxquelles l'auteur collabora.

leurs hommes, la taille sèche, droite et drapée dans un petit châle étriqué, épinglé sur leur poitrine plate, la tête enveloppée d'un linge blanc collé sur les cheveux et surmontée d'un bonnet.

Puis, un char à bancs [1] passait, au trot saccadé d'un bidet, secouant étrangement deux hommes assis côte à côte et une femme dans le fond du véhicule, dont elle tenait le bord pour atténuer les durs cahots.

Sur la place de Goderville, c'était une foule, une cohue d'humains et de bêtes mélangés. Les cornes des bœufs, les hauts chapeaux à longs poils des paysans riches et les coiffes des paysannes émergeaient à la surface de l'assemblée. Et les voix criardes, aiguës, glapissantes [2] formaient une clameur continue et sauvage que dominait parfois un grand éclat poussé par la robuste poitrine d'un campagnard en gaieté, ou le long meuglement d'une vache attachée au mur d'une maison.

Tout cela sentait l'étable, le lait et le fumier, le foin et la sueur, dégageait cette saveur aigre, affreuse, humaine et bestiale, particulière aux gens des champs.

Maître Hauchecorne, de Bréauté, venait d'arriver à Goderville, et il se dirigeait vers la place, quand il aperçut par terre un petit bout de ficelle. Maître Hauchecorne, économe en vrai Normand, pensa que tout était bon à ramasser qui peut servir ; et il se baissa péniblement, car il souffrait de rhumatismes. Il prit, par terre, le morceau de corde mince, et il se disposait à le rouler avec soin, quand il remarqua, sur le seuil de sa porte, maître Malandain, le bourrelier, qui le regardait. Ils avaient eu des affaires ensemble au sujet d'un licol, autrefois, et ils étaient restés fâchés, étant rancuniers [3] tous

---

1. Charrette munie de bancs pour le transport des personnes.
2. Criardes comme celle du renard.
3. Qui ne pardonnent pas.

deux. Maître Hauchecorne fut pris d'une sorte de honte d'être vu ainsi, par son ennemi, cherchant dans la crotte un bout de ficelle. Il cacha brusquement sa trouvaille sous sa blouse, puis dans la poche de sa culotte ; puis il fit semblant de chercher encore par terre quelque chose qu'il ne trouvait point, et il s'en alla vers le marché, la tête en avant, courbé en deux par ses douleurs.

Il se perdit aussitôt dans la foule criarde et lente, agitée par les interminables marchandages. Les paysans tâtaient les vaches, s'en allaient, revenaient, perplexes, toujours dans la crainte d'être mis dedans [1], n'osant jamais se décider, épiant l'œil du vendeur, cherchant sans fin à découvrir la ruse de l'homme et le défaut de la bête.

Les femmes, ayant posé à leurs pieds leurs grands paniers, en avaient tiré leurs volailles qui gisaient par terre, liées par les pattes, l'œil effaré, la crête écarlate.

Elles écoutaient les propositions, maintenaient leurs prix, l'air sec, le visage impassible ; ou bien tout à coup, se décidant au rabais proposé, criaient au client qui s'éloignait lentement :

« C'est dit, maît' Anthime. J'vous l'donne. »

Puis, peu à peu, la place se dépeupla, et l'angelus [2] sonnant midi, ceux qui demeuraient trop loin se répandirent dans les auberges.

Chez Jourdain, la grande salle était pleine de mangeurs, comme la vaste cour était pleine de véhicules de toute race, charrettes, cabriolets, chars à bancs, tilburys [3], carrioles innommables, jaunes de crotte, déformées, rapiécées, levant au ciel, comme deux bras, leurs brancards, ou bien le nez par terre et le derrière en l'air.

---

1. Trompés, volés.
2. Appel à la prière trois fois par jour.
3. Charrette à deux places, légère et rapide.

Tout contre les dîneurs attablés, l'immense cheminée, pleine de flamme claire, jetait une chaleur vive dans le dos de la rangée de droite. Trois broches tournaient, chargées de poulets, de pigeons et de gigots ; et une délectable odeur de viande rôtie et de jus ruisselant sur la peau rissolée[1], s'envolait de l'âtre, allumait les gaietés, mouillait les bouches.

Toute l'aristocratie de la charrue mangeait là, chez maît' Jourdain, aubergiste et maquignon[2], un malin qui avait des écus.

Les plats passaient, se vidaient comme les brocs de cidre jaune. Chacun racontait ses affaires, ses achats et ses ventes. On prenait des nouvelles des récoltes. Le temps était bon pour les verts[3], mais un peu mucre[4] pour les blés.

Tout à coup, le tambour roula, dans la cour, devant la maison. Tout le monde aussitôt fut debout, sauf quelques indifférents, et on courut à la porte, aux fenêtres, la bouche encore pleine et la serviette à la main.

Après qu'il eut terminé son roulement, le crieur public lança d'une voix saccadée, scandant ses phrases à contre-temps :

« Il est fait assavoir aux habitants de Goderville, et en général à toutes — les personnes présentes au marché, qu'il a été perdu ce matin, sur la route de Beuzeville, entre — neuf heures et dix heures, un portefeuille en cuir noir, contenant cinq cents francs et des papiers d'affaires. On est prié de le rapporter — à la mairie, incontinent[5], ou chez maître Fortuné Houlbrèque, de Manneville. Il y aura vingt francs de récompense. »

Puis l'homme s'en alla. On entendit encore une fois au

---

1. Légèrement grillée.
2. Marchand de bétail.
3. Prés, herbages.
4. Humide.
5. Immédiatement.

loin les battements sourds de l'instrument et la voix affaiblie du crieur.

Alors on se mit à parler de cet événement, en énumérant les chances qu'avait maître Houlbrèque de retrouver ou de ne pas retrouver son portefeuille.

Et le repas s'acheva.

On finissait le café, quand le brigadier de gendarmerie parut sur le seuil.

Il demanda :

« Maître Hauchecorne, de Bréauté, est-il ici ? »

Maître Hauchecorne, assis à l'autre bout de la table, répondit :

« Me v'là. »

Et le brigadier reprit :

« Maître Hauchecorne, voulez-vous avoir la complaisance de m'accompagner à la mairie. Monsieur le maire voudrait vous parler. »

Le paysan, surpris, inquiet, avala d'un coup son petit verre, se leva et, plus courbé encore que le matin, car les premiers pas après chaque repos étaient particulièrement difficiles, il se mit en route en répétant :

« Me v'là, me v'là. »

Et il suivit le brigadier.

Le maire l'attendait, assis dans un fauteuil. C'était le notaire de l'endroit, homme gros, grave, à phrases pompeuses.

« Maître Hauchecorne, dit-il, on vous a vu ce matin ramasser, sur la route de Beuzeville, le portefeuille perdu par maître Houlbrèque, de Manneville. »

Le campagnard, interdit, regardait le maire, apeuré déjà par ce soupçon qui pesait sur lui, sans qu'il comprît pourquoi.

« Mé, mé, j'ai ramassé çu portafeuille ?

— Oui, vous-même.

« — Parole d'honneur, je n'en ai seulement point eu connaissance.

— On vous a vu.

— On m'a vu, mé ? Qui ça qui m'a vu ?

— M. Malandain, le bourrelier. »

Alors le vieux se rappela, comprit et, rougissant de colère :

« Ah ! i m'a vu, çu manant[1] ! I m'a vu ramasser c'te ficelle-là, tenez, m'sieu le Maire. »

Et, fouillant au fond de sa poche, il en retira le petit bout de corde.

Mais le maire, incrédule, remuait la tête.

« Vous ne me ferez pas accroire, maître Hauchecorne, que M. Malandain, qui est un homme digne de foi, a pris ce fil pour un portefeuille. »

Le paysan, furieux, leva la main, cracha de côté pour attester son honneur, répétant :

« C'est pourtant la vérité du bon Dieu, la sainte vérité, m'sieu le Maire. Là, sur mon âme et mon salut, je l'répète. »

Le maire reprit :

« Après avoir ramassé l'objet, vous avez même encore cherché longtemps dans la boue, si quelque pièce de monnaie ne s'en était pas échappée. »

Le bonhomme suffoquait d'indignation et de peur.

« Si on peut dire !... si on peut dire... des menteries comme ça pour dénaturer[2] un honnête homme ! Si on peut dire !... »

Il eut beau protester, on ne le crut pas.

Il fut confronté avec M. Malandain, qui répéta et soutint son affirmation. Ils s'injurièrent une heure durant. On

---

1. Paysan pauvre, terme péjoratif.
2. Déshonorer.

fouilla, sur sa demande, maître Hauchecorne. On ne trouva rien sur lui.

Enfin, le maire, fort perplexe, le renvoya, en le prévenant qu'il allait aviser le parquet[1] et demander des ordres.

La nouvelle s'était répandue. À sa sortie de la mairie, le vieux fut entouré, interrogé avec une curiosité sérieuse ou goguenarde[2], mais où n'entrait aucune indignation. Et il se mit à raconter l'histoire de la ficelle. On ne le crut pas. On riait.

Il allait, arrêté par tous, arrêtant ses connaissances, recommençant sans fin son récit et ses protestations, montrant ses poches retournées, pour prouver qu'il n'avait rien.

On lui disait :

« Vieux malin, va ! »

Et il se fâchait, s'exaspérant, enfiévré, désolé de n'être pas cru, ne sachant que faire, et contant toujours son histoire.

La nuit vint. Il fallait partir. Il se mit en route avec trois voisins à qui il montra la place où il avait ramassé le bout de corde ; et tout le long du chemin il parla de son aventure.

Le soir, il fit une tournée dans le village de Bréauté, afin de la dire à tout le monde. Il ne rencontra que des incrédules.

Il en fut malade toute la nuit.

Le lendemain, vers une heure de l'après-midi, Marius Paumelle, valet de ferme de maître Breton, cultivateur à Ymauville, rendait le portefeuille et son contenu à maître Houlbrèque, de Manneville.

Cet homme prétendait avoir, en effet, trouvé l'objet sur la route ; mais, ne sachant pas lire, il l'avait rapporté à la maison et donné à son patron.

---

1. Service judiciaire chargé de faire appliquer les lois.
2. Ironique, moqueuse.

La nouvelle se répandit aux environs. Maître Hauchecorne en fut informé. Il se mit aussitôt en tournée et commença à narrer son histoire complétée du dénouement. Il
triomphait.

« C' qui m'faisait deuil, disait-il, c'est point tant la chose,
comprenez-vous ; mais c'est la menterie. Y a rien qui vous
nuit comme d'être en réprobation [1] pour une menterie. »

Tout le jour il parlait de son aventure, il la contait sur les
routes aux gens qui passaient, au cabaret aux gens qui
buvaient, à la sortie de l'église le dimanche suivant. Il arrêtait des inconnus pour la leur dire. Maintenant, il était tranquille, et pourtant quelque chose le gênait sans qu'il sût au
juste ce que c'était. On avait l'air de plaisanter en l'écou-
tant. On ne paraissait pas convaincu. Il lui semblait sentir
des propos derrière son dos.

Le mardi de l'autre semaine, il se rendit au marché de
Goderville, uniquement poussé par le besoin de conter son
cas.

Malandain, debout sur sa porte, se mit à rire en le voyant
passer. Pourquoi ?

Il aborda un fermier de Criquetot, qui ne le laissa pas
achever et, lui jetant une tape dans le creux de son ventre,
lui cria par la figure : « Gros malin, va ! » Puis lui tourna les
talons.

Maître Hauchecorne demeura interdit et de plus en plus
inquiet. Pourquoi l'avait-on appelé « gros malin » ?

Quand il fut assis à table, dans l'auberge de Jourdain, il se
remit à expliquer l'affaire.

Un maquignon de Montivilliers lui cria :

« Allons, allons vieille pratique [2], je la connais, ta ficelle ! »

Hauchecorne balbutia :

---

1. De susciter le blâme.
2. Vieille connaissance (longtemps « pratiquée »).

« Puisqu'on l'a retrouvé, çu portafeuille ! »

Mais l'autre reprit :

« Tais-té, mon pé, y en a un qui trouve, et y en a un qui r'porte. Ni vu ni connu, je t'embrouille. »

Le paysan resta suffoqué. Il comprenait enfin. On l'accusait d'avoir fait reporter le portefeuille par un compère, par un complice.

Il voulut protester. Toute la table se mit à rire.

Il ne put achever son dîner et s'en alla, au milieu des moqueries.

Il rentra chez lui, honteux et indigné, étranglé par la colère, par la confusion, d'autant plus atterré qu'il était capable, avec sa finauderie[1] de Normand, de faire ce dont on l'accusait, et même de s'en vanter comme d'un bon tour. Son innocence lui apparaissait confusément comme impossible à prouver, sa malice étant connue. Et il se sentait frappé au cœur par l'injustice du soupçon.

Alors il recommença à conter l'aventure, en allongeant chaque jour son récit, ajoutant chaque fois des raisons nouvelles, des protestations plus énergiques, des serments plus solennels qu'il imaginait, qu'il préparait dans ses heures de solitude, l'esprit uniquement occupé de l'histoire de la ficelle. On le croyait d'autant moins que sa défense était plus compliquée et son argumentation plus subtile.

« Ça, c'est des raisons d'menteux », disait-on derrière son dos.

Il le sentait, se rongeait les sangs, s'épuisait en efforts inutiles.

Il dépérissait à vue d'œil.

Les plaisants maintenant lui faisaient conter « la Ficelle » pour s'amuser, comme on fait conter sa bataille au soldat qui a fait campagne. Son esprit, atteint à fond, s'affaiblissait.

---

1. Ironie, malice.

Vers la fin de décembre, il s'alita.

Il mourut dans les premiers jours de janvier, et, dans le délire de l'agonie, il attestait son innocence, répétant :

«Une 'tite ficelle... une 'tite ficelle... t'nez, la voilà, m'sieu le maire.»

Garçon, un bock !... [1]

À *José Maria de Heredia* [2].

Pourquoi suis-je entré, ce soir-là, dans cette brasserie ? Je n'en sais rien. Il faisait froid. Une fine pluie, une poussière d'eau voltigeait, voilait les becs de gaz d'une brume transparente, faisait luire les trottoirs que traversaient les lueurs des devantures, éclairant la boue humide et les pieds sales des passants.

Je n'allais nulle part. Je marchais un peu après dîner. Je passai le Crédit Lyonnais, la rue Vivienne, d'autres rues encore. J'aperçus soudain une grande brasserie à moitié pleine. J'entrai, sans aucune raison. Je n'avais pas soif.

D'un coup d'œil je cherchai une place où je ne serais point trop serré, et j'allai m'asseoir à côté d'un homme qui me parut vieux et qui fumait une pipe de deux sous, en terre, noire comme un charbon. Six ou huit soucoupes de verre, empilées sur la table devant lui, indiquaient le nombre de bocks [3] qu'il avait absorbés déjà. Je n'examinai pas mon voisin. D'un coup d'œil j'avais reconnu un bockeur, un de ces habitués de brasserie qui arrivent le matin, quand on ouvre, et s'en vont le soir, quand on ferme. Il était sale,

---

1. Conte publié en janvier 1884 dans la revue *Gil Blas*, puis dans le recueil *Miss Harriet* (Folio classique n° 1036).
2. Poète français contemporain, auteur des *Trophées*.
3. Chope servant à boire de la bière.

chauve du milieu du crâne, tandis que de longs cheveux gras, poivre et sel, tombaient sur le col de sa redingote. Ses habits trop larges semblaient avoir été faits au temps où il avait du ventre. On devinait que le pantalon ne tenait guère et que cet homme ne pouvait faire dix pas sans rajuster et retenir ce vêtement mal attaché. Avait-il un gilet? La seule pensée des bottines et de ce qu'elles enfermaient me terrifia. Les manchettes effiloquées[1] étaient complètement noires du bord, comme les ongles.

Dès que je fus assis à son côté, ce personnage me dit d'une voix tranquille : « Tu vas bien ? »

Je me tournai vers lui d'une secousse et je le dévisageai. Il reprit : « Tu ne me reconnais pas ? »

— Non !

— Des Barrets. »

Je fus stupéfait. C'était le comte Jean des Barrets, mon ancien camarade de collège.

Je lui serrai la main, tellement interdit que je ne trouvai rien à dire.

Enfin, je balbutiai : « Et toi, tu vas bien ? »

Il répondit placidement : « Moi, comme je peux. »

Il se tut, je voulus être aimable, je cherchai une phrase : « Et... qu'est-ce que tu fais ? »

Il répliqua avec résignation : « Tu vois. »

Je me sentis rougir. J'insistai : « Mais tous les jours ? »

Il prononça, en soufflant d'épaisses bouffées de fumée : « Tous les jours c'est la même chose. »

Puis, tapant sur le marbre de la table avec un sou qui traînait, il s'écria : « Garçon, deux bocks ! »

Une voix lointaine répéta : « Deux bocks au quatre ! » Une autre voix plus éloignée encore lança un « Voilà ! » suraigu. Puis un homme en tablier blanc apparut, portant les

---

1. Effilochées, effrangées.

deux bocks dont il répandait, en courant, les gouttes jaunes sur le sol sablé.

Des Barrets vida d'un trait son verre et le reposa sur la table, pendant qu'il aspirait la mousse restée en ses moustaches.

Puis il demanda : « Et quoi de neuf ? »

Je ne savais rien de neuf à lui dire, en vérité. Je balbutiai : « Mais rien, mon vieux. Moi je suis commerçant. »

Il prononça de sa voix toujours égale : « Et... ça t'amuse ? »

— Non, mais que veux-tu ? Il faut bien faire quelque chose !

— Pourquoi ça ?

— Mais... pour s'occuper.

— À quoi ça sert-il ? Moi, je ne fais rien, comme tu vois, jamais rien. Quand on n'a pas le sou, je comprends qu'on travaille. Quand on a de quoi vivre, c'est inutile. À quoi bon travailler ? Le fais-tu pour toi ou pour les autres ? Si tu le fais pour toi, c'est que ça t'amuse, alors très bien ; si tu le fais pour les autres, tu n'es qu'un niais. »

Puis, posant sa pipe sur le marbre, il cria de nouveau : « Garçon, un bock ! » et reprit : « Ça me donne soif, de parler. Je n'en ai pas l'habitude. Oui, moi, je ne fais rien, je me laisse aller, je vieillis. En mourant je ne regretterai rien. Je n'aurai pas d'autre souvenir que cette brasserie. Pas de femme, pas d'enfants, pas de soucis, pas de chagrins, rien. Ça vaut mieux. »

Il vida le bock qu'on lui avait apporté, passa sa langue sur ses lèvres et reprit sa pipe.

Je le considérais avec stupeur. Je lui demandai :

« Mais tu n'as pas toujours été ainsi ?

— Pardon, toujours, dès le collège.

— Ce n'est pas une vie, ça, mon bon. C'est horrible. Voyons, tu fais bien quelque chose, tu aimes quelque chose, tu as des amis.

— Non. Je me lève à midi. Je viens ici, je déjeune, je bois des bocks, j'attends la nuit, je dîne, je bois des bocks; puis, vers une heure et demie du matin, je retourne me coucher, parce qu'on ferme. C'est ce qui m'embête le plus. Depuis dix ans, j'ai bien passé six années sur cette banquette, dans mon coin; et le reste dans mon lit, jamais ailleurs. Je cause quelquefois avec des habitués.

— Mais, en arrivant à Paris, qu'est-ce que tu as fait tout d'abord?

— J'ai fait mon droit... au café de Médicis.

— Mais après?

— Après... j'ai passé l'eau[1] et je suis venu ici.

— Pourquoi as-tu pris cette peine?

— Que veux-tu, on ne peut pas rester toute sa vie au quartier Latin. Les étudiants font trop de bruit. Maintenant je ne bougerai plus. Garçon, un bock!»

Je croyais qu'il se moquait de moi. J'insistai.

«Voyons, sois franc. Tu as eu quelque gros chagrin? Un désespoir d'amour, sans doute? Certes, tu es un homme que le malheur a frappé. Quel âge as-tu?

— J'ai trente-trois ans. Mais j'en parais au moins quarante-cinq.»

Je le regardai bien en face. Sa figure ridée, mal soignée, semblait presque celle d'un vieillard. Sur le sommet du crâne, quelques longs cheveux voltigeaient au-dessus de la peau d'une propreté douteuse. Il avait des sourcils énormes, une forte moustache et une barbe épaisse. J'eus brusquement, je ne sais pourquoi, la vision d'une cuvette pleine d'eau noirâtre, l'eau où aurait été lavé tout ce poil.

Je lui dis : «En effet, tu as l'air plus vieux que ton âge. Certainement tu as eu des chagrins.»

Il répliqua : «Je t'assure que non. Je suis vieux parce que

_____

1. Traverser la Seine pour quitter le quartier Latin.

je ne prends jamais l'air. Il n'y a rien qui détériore les gens comme la vie de café. »

Je ne le pouvais croire : « Tu as bien aussi fait la noce ? On n'est pas chauve comme tu l'es sans avoir beaucoup aimé. »

Il secoua tranquillement le front, semant sur son dos les petites choses blanches qui tombaient de ses derniers cheveux : « Non, j'ai toujours été sage. » Et levant les yeux vers le lustre qui nous chauffait la tête : « Si je suis chauve, c'est la faute du gaz. Il est l'ennemi du cheveu. — Garçon, un bock ! — Tu n'as pas soif ?

— Non, merci. Mais vraiment tu m'intéresses. Depuis quand as-tu un pareil découragement ? Ça n'est pas normal, ça n'est pas naturel. Il y a quelque chose là-dessous.

— Oui, ça date de mon enfance. J'ai reçu un coup, quand j'étais petit, et cela m'a tourné au noir pour jusqu'à la fin.

— Quoi donc ?

— Tu veux le savoir ? écoute.

*

Tu te rappelles bien le château où je fus élevé, puisque tu y es venu cinq ou six fois pendant les vacances ? Tu te rappelles ce grand bâtiment gris, au milieu d'un grand parc, et les longues avenues de chênes, ouvertes vers les quatre points cardinaux ! Tu te rappelles mon père et ma mère, tous les deux cérémonieux, solennels et sévères.

J'adorais ma mère ; je redoutais mon père, et je les respectais tous les deux, accoutumé d'ailleurs à voir tout le monde courbé devant eux. Ils étaient, dans le pays, M. le comte et Mme la comtesse ; et nos voisins aussi, les Tannemare, les Ravalet, les Brenneville, montraient pour mes parents une considération supérieure.

J'avais alors treize ans. J'étais gai, content de tout, comme on l'est à cet âge-là, tout plein du bonheur de vivre.

Or, vers la fin de septembre, quelques jours avant ma rentrée au collège, comme je jouais à faire le loup dans les massifs du parc, courant au milieu des branches et des feuilles, j'aperçus, en traversant une avenue, papa et maman qui se promenaient.

Je me rappelle cela comme d'hier. C'était par un jour de grand vent. Toute la ligne des arbres se courbait sous les rafales, gémissait, semblait pousser des cris, de ces cris sourds, profonds, que les forêts jettent dans les tempêtes.

Les feuilles arrachées, jaunes déjà, s'envolaient comme des oiseaux, tourbillonnaient, tombaient puis couraient tout le long de l'allée, ainsi que des bêtes rapides.

Le soir venait. Il faisait sombre dans les fourrés. Cette agitation du vent et des branches m'excitait, me faisait galoper comme un fou, et hurler pour imiter les loups.

Dès que j'eus aperçu mes parents, j'allai vers eux à pas furtifs[1], sous les branches, pour les surprendre, comme si j'eusse été un rôdeur véritable.

Mais je m'arrêtai, saisi de peur, à quelques pas d'eux. Mon père, en proie à une terrible colère, criait :

"Ta mère est une sotte ; et, d'ailleurs, ce n'est pas de ta mère qu'il s'agit, mais de toi. Je te dis que j'ai besoin de cet argent, et j'entends que tu signes."

Maman répondit, d'une voix ferme :

"Je ne signerai pas. C'est la fortune de Jean, cela. Je la garde pour lui et je ne veux pas que tu la manges encore avec des filles[2] et des servantes, comme tu as fait de ton héritage."

Alors papa, tremblant de fureur, se retourna, et saisis-

---

1. Légers à la manière d'un voleur.
2. Prostituées.

sant sa femme par le cou, il se mit à la frapper avec l'autre main de toute sa force, en pleine figure.

Le chapeau de maman tomba, ses cheveux dénoués se répandirent ; elle essayait de parer les coups, mais elle n'y pouvait parvenir. Et papa ; comme fou, frappait, frappait. Elle roula par terre, cachant sa face dans ses deux bras. Alors il la renversa sur le dos pour la battre encore, écartant les mains dont elle se couvrait le visage.

Quant à moi, mon cher, il me semblait que le monde allait finir, que les lois éternelles étaient changées. J'éprouvais le bouleversement qu'on a, devant les choses surnaturelles, devant les catastrophes monstrueuses, devant les irréparables désastres. Ma tête d'enfant s'égarait, s'affolait. Et je me mis à crier de toute ma force, sans savoir pourquoi, en proie à une épouvante, à une douleur, à un effarement épouvantables. Mon père m'entendit, se retourna, m'aperçut, et, se relevant, s'en vint vers moi. Je crus qu'il m'allait tuer et je m'enfuis comme un animal chassé, courant tout droit devant moi, dans le bois.

J'allai peut-être une heure, peut-être deux, je ne sais pas. La nuit étant venue, je tombai sur l'herbe, et je restai là éperdu, dévoré par la peur, rongé par un chagrin capable de briser à jamais un pauvre cœur d'enfant. J'avais froid, j'avais faim peut-être. Le jour vint. Je n'osais plus me lever, ni marcher, ni revenir, ni me sauver encore, craignant de rencontrer mon père que je ne voulais plus revoir.

Je serais peut-être mort de misère et de famine au pied de mon arbre, si le garde ne m'avait découvert et ramené de force.

Je trouvai mes parents avec leur visage ordinaire. Ma mère me dit seulement : "Comme tu m'as fait peur, vilain garçon, j'ai passé la nuit sans dormir." Je ne répondis point, mais je me mis à pleurer. Mon père ne prononça pas une parole.

Huit jours plus tard, je rentrais au collège.

Eh bien, mon cher, c'était fini pour moi. J'avais vu l'autre face des choses, la mauvaise ; je n'ai plus aperçu la bonne depuis ce jour-là. Que s'est-il passé dans mon esprit ? Quel phénomène étrange m'a retourné les idées ? Je l'ignore. Mais je n'ai plus eu de goût pour rien, envie de rien, d'amour pour personne, de désir quelconque, d'ambition ou d'espérance. Et j'aperçois toujours ma pauvre mère, par terre, dans l'allée, tandis que mon père l'assommait. — Maman est morte après quelques années. Mon père vit encore. Je ne l'ai pas revu. — Garçon, un bock !... »

*

On lui apporta un bock qu'il engloutit d'une gorgée. Mais, en reprenant sa pipe, comme il tremblait, il la cassa. Alors il eut un geste désespéré, et il dit : « Tiens ! C'est un vrai chagrin, ça, par exemple. J'en ai pour un mois à en culot-ter[1] une nouvelle. »

Et il lança à travers la vaste salle, pleine maintenant de fumée et de buveurs, son éternel cri : « Garçon, un bock — et une pipe neuve ! »

---

1. Patiner le fourneau pour mieux garder l'arôme.

Le Gueux[1]

Il avait connu des jours meilleurs, malgré sa misère et son infirmité.

À l'âge de quinze ans, il avait eu les deux jambes écrasées par une voiture sur la grand'route de Varville. Depuis ce temps-là, il mendiait en se traînant le long des chemins, à travers les cours des fermes, balancé sur ses béquilles qui lui avaient fait remonter les épaules à la hauteur des oreilles. Sa tête semblait enfoncée entre deux montagnes.

Enfant trouvé dans un fossé par le curé des Billettes, la veille du jour des Morts, et baptisé pour cette raison Nicolas Toussaint, élevé par charité, demeuré étranger à toute instruction, estropié après avoir bu quelques verres d'eau-de-vie offerts par le boulanger du village, histoire de rire, et, depuis lors vagabond, il ne savait rien faire autre chose que tendre la main.

Autrefois[2] la baronne d'Avary lui abandonnait pour dormir une espèce de niche pleine de paille, à côté du poulailler, dans la ferme attenant au château : et il était sûr, aux jours de grande famine, de trouver toujours un morceau de

---

1. Conte publié en mars 1883 dans la revue *Le Gaulois*, puis dans le recueil *Contes du jour et de la nuit* (Folio classique n° 1558).
2. Ici, peu de temps auparavant.

pain et un verre cidre à la cuisine. Souvent il recevait encore là quelques sols[1] jetés par la vieille dame du haut de son perron ou des fenêtres de sa chambre. Maintenant elle était morte.

Dans les villages, on ne lui donnait guère : on le connaissait trop ; on était fatigué de lui depuis quarante ans qu'on le voyait promener de masure en masure[2] son corps loqueteux[3] et difforme sur ses deux pattes de bois. Il ne voulait point s'en aller cependant, parce qu'il ne connaissait pas autre chose sur la terre que ce coin de pays, ces trois ou quatre hameaux[4] où il avait traîné sa vie misérable. Il avait mis des frontières à sa mendicité et il n'aurait jamais passé les limites qu'il était accoutumé de ne point franchir.

Il ignorait si le monde s'étendait encore loin derrière les arbres qui avaient borné sa vue. Il ne se le demandait pas. Et quand les paysans, las de le rencontrer toujours au bord de leurs champs ou le long de leurs fossés, lui criaient :

— Pourquoi qu' tu n' vas point dans l's autes villages, au lieu d' béquiller toujours par ci ?

Il ne répondait pas et s'éloignait, saisi d'une peur vague de l'inconnu, d'une peur de pauvre qui redoute confusément mille choses, les visages nouveaux, les injures, les regards soupçonneux des gens qui ne le connaissaient pas, et les gendarmes qui vont deux par deux sur les routes et qui le faisaient plonger, par instinct, dans les buissons ou derrière les tas de cailloux.

Quand il les apercevait au loin, reluisants sous le soleil, il trouvait soudain une agilité singulière, une agilité de monstre pour gagner quelque cachette. Il dégringolait de ses

---

1. Sous.
2. Cf. *Le Saut du Berger.*
3. Vêtu de haillons, de loques.
4. Groupe de maisons du même village, mais éloigné du « bourg ».

béquilles, se laissait tomber à la façon d'une loque, et il se
roulait en boule, devenait tout petit, invisible, rasé [1] comme
un lièvre au gîte, confondant ses haillons bruns avec la terre.

Il n'avait pourtant jamais eu d'affaires avec eux. Mais il
portait cela dans le sang, comme s'il eût reçu cette crainte
et cette ruse de ses parents, qu'il n'avait point connus.

Il n'avait pas de refuge, pas de toit, pas de hutte, pas
d'abri. Il dormait partout, en été, et l'hiver il se glissait sous
les granges ou dans les étables avec une adresse remar-
quable. Il déguerpissait [2] toujours avant qu'on se fût aperçu
de sa présence. Il connaissait les trous pour pénétrer dans
les bâtiments ; et le maniement des béquilles ayant rendu
ses bras d'une vigueur surprenante, il grimpait à la seule
force des poignets jusque dans les greniers à fourrages où
il demeurait parfois quatre ou cinq jours sans bouger, quand
il avait recueilli dans sa tournée des provisions suffisantes.

Il vivait comme les bêtes des bois, au milieu des hommes,
sans connaître personne, sans aimer personne, n'excitant
chez les paysans qu'une sorte de mépris indifférent et d'hos-
tilité résignée. On l'avait surnommé «Cloche», parce qu'il
se balançait, entre ses deux piquets de bois, ainsi qu'une
cloche entre ses portants.

Depuis deux jours, il n'avait point mangé. Personne ne lui
donnait plus rien. On ne voulait plus de lui à la fin. Les paysannes, sur leurs portes, lui criaient de loin en le voyant venir :

— Veux-tu bien t'en aller, manant [3] ! V'là pas trois jours
que j' tai donné un morciau d' pain !

Et il pivotait sur ses tuteurs [4] et s'en allait à la maison voisine, où on le recevait de la même façon.

---

1. Tapi, à «ras» de terre.
2. Fuyait. À l'origine : faute de payer une dette.
3. Cf. *La Ficelle.*
4. Piquets soutenant plantes et arbustes.

Les femmes déclaraient, d'une porte à l'autre :

— On n' peut pourtant pas nourrir ce fainéant toute l'année.

Cependant le fainéant avait besoin de manger tous les jours.

Il avait parcouru Saint-Hilaire, Varville et les Billettes, sans récolter un centime ou une vieille croûte. Il ne lui restait d'espoir qu'à Tournolles ; mais il lui fallait faire deux lieues sur la grand'route, et il se sentait las à ne plus se traîner, ayant le ventre aussi vide que sa poche.

Il se mit en marche pourtant.

C'était en décembre, un vent froid courait sur les champs, sifflait dans les branches nues ; et les nuages galopaient à travers le ciel bas et sombre, se hâtant on ne sait où. L'estropié allait lentement, déplaçant ses supports l'un après l'autre d'un effort pénible, en se calant sur la jambe tordue qui lui restait, terminée par un pied-bot[1] et chaussée d'une loque.

De temps en temps, il s'asseyait sur le fossé et se reposait quelques minutes. La faim jetait une détresse dans son âme confuse et lourde. Il n'avait qu'une idée : « manger », mais il ne savait par quel moyen.

Pendant trois heures, il peina sur le long chemin ; puis quand il aperçut les arbres du village, il hâta ses mouvements.

Le premier paysan qu'il rencontra, et auquel il demanda l'aumône, lui répondit :

— Te r'voilà encore, vieille pratique ! Je s'rons donc jamais débarrassé de té ?

Et Cloche s'éloigna. De porte en porte on le rudoya, on le renvoya sans lui rien donner. Il continuait cependant sa tournée, patient et obstiné. Il ne recueillit pas un sou.

---

1. En forme de « botte », les chairs étant contractées.

Alors il visita les fermes, déambulant à travers les terres molles de pluie, tellement exténué qu'il ne pouvait plus lever ses bâtons. On le chassa de partout. C'était un de ces jours froids et tristes où les cœurs se serrent, où les esprits s'irritent, où l'âme est sombre, où la main ne s'ouvre ni pour donner ni pour secourir.

Quand il eut fini la visite de toutes les maisons qu'il connaissait, il alla s'abattre au coin d'un fossé, le long de la cour de maître Chiquet. Il se décrocha, comme on disait pour exprimer comment il se laissait tomber entre ses hautes béquilles en les faisant glisser sous ses bras. Et il resta longtemps immobile, torturé par la faim, mais trop brute pour bien pénétrer son insondable misère.

Il attendait on ne sait quoi, de cette vague attente qui demeure constamment en nous. Il attendait au coin de cette cour, sous le vent glacé, l'aide mystérieuse qu'on espère toujours du ciel ou des hommes, sans se demander comment, ni pourquoi, ni par qui elle lui pourrait arriver. Une bande de poules noires passait, cherchant sa vie dans la terre qui nourrit tous les êtres. À tout instant, elles piquaient d'un coup de bec un grain ou un insecte invisible, puis continuaient leur recherche lente et sûre.

Cloche les regardait sans penser à rien ; puis il lui vint, plutôt au ventre que dans la tête, la sensation plutôt que l'idée qu'une de ces bêtes-là serait bonne à manger grillée sur un feu de bois mort.

Le soupçon qu'il allait commettre un vol ne l'effleura pas. Il prit une pierre à portée de sa main, et, comme il était adroit, il tua net en la lançant la volaille la plus proche de lui. L'animal tomba sur le côté en remuant les ailes. Les autres s'enfuirent, balancés sur leurs pattes minces, et Cloche, escaladant de nouveau ses béquilles, se mit en marche pour aller ramasser sa chasse, avec des mouvements pareils à ceux des poules.

Comme il arrivait auprès du petit corps noir taché de rouge à la tête, il reçut une poussée terrible dans le dos qui lui fit lâcher ses bâtons et l'envoya rouler à dix pas devant lui. Et maître Chiquet, exaspéré, se précipitant sur le maraudeur, le roua de coups, tapant comme un forcené, comme tape un paysan volé, avec le poing et avec le genou par tout le corps de l'infirme, qui ne pouvait se défendre.

Les gens de la ferme arrivaient à leur tour qui se mirent avec le patron à assommer le mendiant. Puis, quand ils furent las de le battre, ils le ramassèrent et l'emportèrent et l'enfermèrent dans le bûcher pendant qu'on allait chercher les gendarmes.

Cloche, à moitié mort, saignant et crevant de faim, demeura couché sur le sol. Le soir vint, puis la nuit, puis l'aurore. Il n'avait toujours pas mangé.

Vers midi, les gendarmes parurent et ouvrirent la porte avec précaution, s'attendant à une résistance, car maître Chiquet prétendait avoir été attaqué par le gueux et ne s'être défendu qu'à grand'peine.

Le brigadier cria :

— Allons, debout !

Mais Cloche ne pouvait plus remuer ; il essaya bien de se hisser sur ses pieux, il n'y parvint point. On crut à une feinte, à une ruse, à un mauvais vouloir de malfaiteur, et les deux hommes armés, le rudoyant, l'empoignèrent et le plantèrent de force sur ses béquilles.

La peur l'avait saisi, cette peur native des baudriers [1] jaunes, cette peur du gibier devant le chasseur, de la souris devant le chat. Et, par des efforts surhumains, il réussit à rester debout.

— En route ! dit le brigadier.

Il marcha. Tout le personnel de la ferme le regardait par-

---

1. Bandoulière de cuir soutenant le sabre et à plaque de cuivre.

tir. Les femmes lui montraient le poing ; les hommes rica-
naient, l'injuriaient : on l'avait pris enfin ! Bon débarras.

Il s'éloigna entre ses deux gardiens. Il trouva l'énergie
désespérée qu'il lui fallait pour se traîner encore jusqu'au
soir, abruti, ne sachant seulement plus ce qui lui arrivait,
trop effaré pour rien comprendre.

Les gens qu'on rencontrait s'arrêtaient pour le voir passer, et les paysans murmuraient :

— C'est quéque voleux !

On parvint, vers la nuit, au chef-lieu du canton. Il n'était
jamais venu jusque-là. Il ne se figurait pas vraiment ce qui
se passait, ni ce qui pouvait survenir. Toutes ces choses terribles, imprévues, ces figures et ces maisons nouvelles le
consternaient.

Il ne prononça pas un mot, n'ayant rien à dire, car il ne
comprenait plus rien. Depuis tant d'années d'ailleurs qu'il
ne parlait à personne, il avait à peu près perdu l'usage de
sa langue ; et sa pensée aussi était trop confuse pour se formuler par des paroles.

On l'enferma dans la prison du bourg. Les gendarmes ne
pensèrent pas qu'il pouvait avoir besoin de manger, et on
le laissa jusqu'au lendemain.

Mais, quand on vint pour l'interroger, au petit matin, on
le trouva mort, sur le sol. Quelle surprise !

La Mère Sauvage [1]

À Georges Pouchet [2]

I

Je n'étais point revenu à Virelogne depuis quinze ans. J'y retournai chasser, à l'automne, chez mon ami Serval, qui avait enfin fait reconstruire son château, détruit par les Prussiens [3].

J'aimais ce pays infiniment. Il est des coins du monde délicieux qui ont pour les yeux un charme sensuel. On les aime d'un amour physique. Nous gardons, nous autres que séduit la terre, des souvenirs tendres pour certaines sources, certains bois, certains étangs, certaines collines, vus souvent et qui nous ont attendris à la façon des événements heureux. Quelquefois même la pensée retourne vers un coin de forêt, ou un bout de berge, ou un verger poudré de fleurs, aperçus une seule fois, par un jour gai, et restés en notre cœur comme ces images de femmes rencontrées dans la rue, un matin de printemps, avec une toilette claire et transparente, et qui nous laissent dans l'âme et dans la chair un désir inapaisé, inoubliable, la sensation du bonheur coudoyé.

---

1. Conte publié en mars 1884 dans le journal *Le Gaulois,* puis dans le recueil *Miss Harriet* (Folio classique n° 1036).
2. Professeur d'anatomie, ami des Naturalistes .
3. Désignation des Allemands jusqu'à l'unification de l'Allemagne, en 1871.

À Virelogne, j'aimais toute la campagne, semée de petits bois et traversée par des ruisseaux qui couraient dans le sol comme des veines, portant le sang à la terre. On pêchait là-dedans des écrevisses, des truites et des anguilles! Bonheur divin! On pouvait se baigner par places, et on trouvait souvent des bécassines [1] dans les hautes herbes qui poussaient sur les bords de ces minces cours d'eau.

J'allais, léger comme une chèvre, regardant mes deux chiens fourrager [2] devant moi. Serval, à cent mètres sur ma droite, battait un champ de luzerne. Je tournai les buissons qui forment la limite du bois des Saudres, et j'aperçus une chaumière en ruines.

Tout à coup, je me la rappelai telle que je l'avais vue pour la dernière fois, en 1869, propre, vêtue de vignes, avec des poules devant la porte. Quoi de plus triste qu'une maison morte, avec son squelette debout, délabré, sinistre?

Je me rappelai aussi qu'une bonne femme m'avait fait boire un verre de vin là-dedans, un jour de grande fatigue, et que Serval m'avait dit alors l'histoire des habitants. Le père, vieux braconnier, avait été tué par les gendarmes. Le fils, que j'avais vu autrefois, était un grand garçon sec qui passait également pour un féroce destructeur de gibier. On les appelait les Sauvage.

Était-ce un nom ou un sobriquet [3]?

Je hélai Serval. Il s'en vint de son long pas d'échassier.

Je lui demandai:

«Que sont devenus les gens de là?»

Et il me conta cette aventure.

---

1. Petit oiseau s'envolant en zigzag.
2. Chercher dans les hautes herbes.
3. Surnom ironique.

II

Lorsque la guerre fut déclarée, le fils Sauvage, qui avait alors trente-trois ans, s'engagea, laissant la mère seule au logis. On ne la plaignait pas trop, la vieille, parce qu'elle avait de l'argent, on le savait.

Elle resta donc toute seule dans cette maison isolée si loin du village, sur la lisière[1] du bois. Elle n'avait pas peur, du reste, étant de la même race que ses hommes, une rude vieille, haute et maigre, qui ne riait pas souvent et avec qui on ne plaisantait point. Les femmes des champs ne rient guère d'ailleurs. C'est affaire aux hommes, cela! Elles ont l'âme triste et bornée, ayant une vie morne et sans éclaircie. Le paysan apprend un peu de gaieté bruyante au cabaret, mais sa compagne reste sérieuse avec une physionomie constamment sévère. Les muscles de leur face n'ont point appris les mouvements du rire.

La mère Sauvage continua son existence ordinaire dans sa chaumière, qui fut bientôt couverte par les neiges. Elle s'en venait au village, une fois par semaine, chercher du pain et un peu de viande; puis elle retournait dans sa masure. Comme on parlait des loups, elle sortait le fusil au dos, le fusil du fils, rouillé, avec la crosse usée par le frottement de la main; et elle était curieuse à voir, la grande Sauvage, un peu courbée, allant à lentes enjambées par la neige, le canon de l'arme dépassant la coiffe noire qui lui serrait la tête et emprisonnait ses cheveux blancs, que personne n'avait jamais vus.

Un jour les Prussiens arrivèrent. On les distribua[2] aux

_____

1. En bordure, à l'orée.
2. On les répartit pour les loger.

habitants, selon la fortune et les ressources de chacun. La vieille, qu'on savait riche, en eut quatre.

C'étaient quatre gros garçons à la chair blonde, à la barbe blonde, aux yeux bleus, demeurés gras malgré les fatigues qu'ils avaient endurées déjà, et bons enfants, bien qu'en pays conquis. Seuls chez cette femme âgée, ils se montrèrent pleins de prévenances pour elle, lui épargnant, autant qu'ils le pouvaient, des fatigues et des dépenses. On les voyait tous les quatre faire leur toilette autour du puits, le matin, en manches de chemise, mouillant à grande eau, dans le jour cru des neiges, leur chair blanche et rose d'hommes du Nord, tandis que la mère Sauvage allait et venait, préparant la soupe. Puis on les voyait nettoyer la cuisine, frotter les carreaux, casser du bois, éplucher les pommes de terre, laver le linge, accomplir toutes les besognes de la maison, comme quatre bons fils autour de leur mère.

Mais elle pensait sans cesse au sien, la vieille, à son grand maigre au nez crochu, aux yeux bruns, à la forte moustache qui faisait sur sa lèvre un bourrelet de poils noirs. Elle demandait chaque jour, à chacun des soldats installés à son foyer :

« Savez-vous où est parti le régiment français, vingt-troisième de marche ? Mon garçon est dedans. »

Ils répondaient : « Non, bas su, bas savoir tu tout. » Et, comprenant sa peine et ses inquiétudes, eux qui avaient des mères là-bas, ils lui rendaient mille petits soins. Elle les aimait bien, d'ailleurs, ses quatre ennemis ; car les paysans n'ont guère les haines patriotiques ; cela n'appartient qu'aux classes supérieures. Les humbles ceux qui paient le plus parce qu'ils sont pauvres et que toute charge nouvelle les accable, ceux qu'on tue par masses, qui forment la vraie chair à canon, parce qu'ils sont le nombre, ceux qui souffrent enfin le plus cruellement des atroces misères de la guerre, parce qu'ils sont les plus faibles et les moins résistants, ne comprennent guère ces ardeurs belliqueuses, ce point d'honneur excitable et ces prétendues combinaisons politiques qui épuisent en six mois deux nations, la victorieuse comme la vaincue.

On disait dans le pays, en parlant des Allemands de la mère Sauvage :

« En v'là quatre qu'ont trouvé leur gîte [1]. »

Or, un matin, comme la vieille femme était seule au logis, elle aperçut au loin dans la plaine un homme qui venait vers sa demeure. Bientôt elle le reconnut, c'était le piéton [2] chargé de distribuer les lettres. Il lui remit un papier plié et elle tira de son étui les lunettes dont elle se servait pour coudre ; puis elle lut :

« Madame Sauvage, la présente [3] est pour vous porter une triste nouvelle. Votre garçon Victor a été tué hier par un boulet, qui l'a censément [4] coupé en deux parts. J'étais tout près, vu que nous nous trouvions côte à côte dans la compagnie et qu'il me parlait de vous pour vous prévenir au jour même s'il lui arrivait malheur.

« J'ai pris dans sa poche sa montre pour vous la reporter quand la guerre sera finie.

« Je vous salue amicalement.

CÉSAIRE RIVOT,

« Soldat de 2ᵉ classe au 23ᵉ de marche. »

La lettre était datée de trois semaines.

Elle ne pleurait point. Elle demeurait immobile, tellement saisie, hébétée [5], qu'elle ne souffrait même pas encore. Elle pensait : « V'là Victor qu'est tué, maintenant. » Puis peu à

---

1. Une bonne place où vivre.
2. Le facteur qui distribuait à pied.
3. Cette lettre.
4. Pour ainsi dire.
5. Sans réaction.

peu les larmes montèrent à ses yeux, et la douleur envahit son cœur. Les idées lui venaient une à une, affreuses, torturantes. Elle ne l'embrasserait plus, son enfant, son grand, plus jamais! Les gendarmes avaient tué le père, les Prussiens avaient tué le fils... Il avait été coupé en deux par un boulet. Et il lui semblait qu'elle voyait la chose, la chose horrible : la tête tombant, les yeux ouverts, tandis qu'il mâchait le coin de sa grosse moustache, comme il faisait aux heures de colère.

Qu'est-ce qu'on avait fait de son corps, après? Si seulement on lui avait rendu son enfant, comme on lui avait rendu son mari, avec sa balle au milieu du front?

Mais elle entendit un bruit de voix. C'étaient les Prussiens qui revenaient du village. Elle cacha bien vite la lettre dans sa poche et elle les reçut tranquillement avec sa figure ordinaire, ayant eu le temps de bien essuyer ses yeux.

Ils riaient tous les quatre, enchantés, car ils rapportaient un beau lapin, volé sans doute, et ils faisaient signe à la vieille qu'on allait manger quelque chose de bon.

Elle se mit tout de suite à la besogne pour préparer le déjeuner; mais, quand il fallut tuer le lapin, le cœur lui manqua. Ce n'était pas le premier pourtant! Un des soldats l'assomma d'un coup de poing derrière les oreilles[1].

Une fois la bête morte, elle fit sortir le corps rouge de la peau; mais la vue du sang qu'elle maniait, qui lui couvrait les mains, du sang tiède qu'elle sentait se refroidir et se coaguler, la faisait trembler de la tête aux pieds; et elle voyait toujours son grand coupé en deux, et tout rouge aussi, comme cet animal encore palpitant.

Elle se mit à table avec ses Prussiens, mais elle ne put manger, pas même une bouchée. Ils dévorèrent le lapin sans s'occuper d'elle. Elle les regardait de côté, sans parler,

---

1. Le « coup du lapin ».

mûrissant une idée, et le visage tellement impassible qu'ils ne s'aperçurent de rien.

Tout à coup, elle demanda : « Je ne sais seulement point vos noms, et v'là un mois que nous sommes ensemble. » Ils comprirent, non sans peine, ce qu'elle voulait, et dirent leurs noms. Cela ne lui suffisait pas ; elle se les fit écrire sur un papier, avec l'adresse de leurs familles, et, reposant ses lunettes sur son grand nez, elle considéra cette écriture inconnue, puis elle plia la feuille et la mit dans sa poche, par-dessus la lettre qui lui disait la mort de son fils.

Quand le repas fut fini, elle dit aux hommes :

« J' vas travailler pour vous. »

Et elle se mit à monter du foin dans le grenier où ils cou-chaient.

Ils s'étonnèrent de cette besogne ; elle leur expliqua qu'ils auraient moins froid ; et ils l'aidèrent. Ils entassaient les bottes jusqu'au toit de paille ; et ils se firent ainsi une sorte de grande chambre avec quatre murs de fourrage, chaude et parfumée, où ils dormiraient à merveille.

Au dîner, un d'eux s'inquiéta de voir que la mère Sauvage ne mangeait point encore. Elle affirma qu'elle avait des crampes. Puis elle alluma un bon feu pour se chauffer, et les quatre Allemands montèrent dans leur logis par l'échelle qui leur servait tous les soirs.

Dès que la trappe fut refermée, la vieille enleva l'échelle, puis rouvrit sans bruit la porte du dehors, et elle retourna chercher des bottes de paille dont elle emplit sa cuisine. Elle allait nu-pieds, dans la neige, si doucement qu'on n'enten-dait rien. De temps en temps elle écoutait les ronflements sonores et inégaux des quatre soldats endormis.

Quand elle jugea suffisants ses préparatifs, elle jeta dans le foyer une des bottes, et, lorsqu'elle fut enflammée, elle l'éparpilla sur les autres, puis elle ressortit et regarda.

Une clarté violente illumina en quelques secondes tout

l'intérieur de la chaumière, puis ce fut un brasier effroyable, un gigantesque four ardent, dont la lueur jaillissait par l'étroite fenêtre et jetait sur la neige un éclatant rayon.

Puis un grand cri partit du sommet de la maison, puis ce fut une clameur de hurlements humains, d'appels déchirants d'angoisse et d'épouvante. Puis, la trappe s'étant écroulée à l'intérieur, un tourbillon de feu s'élança dans le grenier, perça le toit de paille, monta dans le ciel comme une immense flamme de torche ; et toute la chaumière flamba.

On n'entendait plus rien dedans que le crépitement de l'incendie, le craquement des murs, l'écroulement des poutres. Le toit tout à coup s'effondra, et la carcasse ardente de la demeure lança dans l'air, au milieu d'un nuage de fumée, un grand panache d'étincelles.

La campagne, blanche, éclairée par le feu, luisait comme une nappe d'argent teintée de rouge.

Une cloche, au loin, se mit à sonner.

La vieille Sauvage restait debout, devant son logis détruit, armée de son fusil, celui du fils, de crainte qu'un des hommes n'échappât.

Quand elle vit que c'était fini, elle jeta son arme dans le brasier. Une détonation retentit.

Des gens arrivaient, des paysans, des Prussiens.

On trouva la femme assise sur un tronc d'arbre, tranquille et satisfaite.

Un officier allemand, qui parlait le français comme un fils de France, lui demanda :

« Où sont vos soldats ? »

Elle tendit son bras maigre vers l'amas rouge de l'incendie qui s'éteignait, et elle répondit d'une voix forte :

« Là-dedans ! »

On se pressait autour d'elle. Le Prussien demanda :

« Comment le feu a-t-il pris ? »

Elle prononça :

« C'est moi qui l'ai mis. »

On ne la croyait pas, on pensait que le désastre l'avait soudain rendue folle. Alors, comme tout le monde l'entourait et l'écoutait, elle dit la chose d'un bout à l'autre, depuis l'arrivée de la lettre jusqu'au dernier cri des hommes flambés avec sa maison. Elle n'oublia pas un détail de ce qu'elle avait ressenti ni de ce qu'elle avait fait.

Quand elle eut fini, elle tira de sa poche deux papiers, et, pour les distinguer aux dernières lueurs du feu, elle ajusta encore ses lunettes, puis elle prononça, montrant l'un : « Ça, c'est la mort de Victor. » Montrant l'autre, elle ajouta, en désignant les ruines rouges d'un coup de tête : « Ça, c'est leurs noms pour qu'on écrive chez eux. » Elle tendit tranquillement la feuille blanche à l'officier, qui la tenait par les épaules, et elle reprit :

« Vous écrirez comment c'est arrivé, et vous direz à leurs parents que c'est moi qui a fait ça. Victoire Simon, la Sauvage ! N'oubliez pas. »

L'officier criait des ordres en allemand. On la saisit, on la jeta contre les murs encore chauds de son logis. Puis douze hommes se rangèrent vivement en face d'elle, à vingt mètres. Elle ne bougea point. Elle avait compris ; elle attendait.

Un ordre retentit, qu'une longue détonation suivit aussitôt. Un coup attardé partit tout seul, après les autres.

La vieille ne tomba point. Elle s'affaissa comme si on lui eût fauché les jambes.

L'officier prussien s'approcha. Elle était presque coupée en deux, et dans sa main crispée elle tenait sa lettre baignée de sang.

Mon ami Serval ajouta :

« C'est par représailles que les Allemands ont détruit le château du pays, qui m'appartenait. »

Moi, je pensais aux mères des quatre doux garçons brû-
lés là-dedans ; et à l'héroïsme atroce de cette autre mère,
fusillée contre ce mur.

Et je ramassai une petite pierre, encore noircie par le feu.

Le Petit Fût[1]

À *Adolphe Tavernier*[2].

Maître Chicot, l'aubergiste d'Épreville, arrêta son tilbury[3] devant la ferme de la mère Magloire. C'était un grand gaillard de quarante ans, rouge et ventru, et qui passait pour malicieux.

Il attacha son cheval au poteau de la barrière, puis il pénétra dans la cour. Il possédait un bien attenant aux terres de la vieille, qu'il convoitait depuis longtemps. Vingt fois il avait essayé de les acheter, mais la mère Magloire s'y refusait avec obstination.

« J'y sieus née, j'y mourrai », disait-elle.

Il la trouva épluchant des pommes de terre devant sa porte. Âgée de soixante-douze ans, elle était sèche, ridée, courbée, mais infatigable comme une jeune fille. Chicot lui tapa dans le dos avec amitié, puis s'assit près d'elle sur un escabeau.

« Eh bien ! la mère, et c'te santé, toujours bonne ?

— Pas trop mal, et vous, maît' Prosper ?

— Eh ! Eh ! quéques douleurs ; sans ça, ce s'rait à satisfaction.

---

1. Conte publié en avril 1884 dans le journal *Le Gaulois* puis dans le recueil *Les Sœurs Rondoli* (Folio classique n° 3722).
2. Homme de lettres collaborant aux mêmes revues que l'auteur.
3. Cf. *La Ficelle*.

— Allons, tant mieux ! »

Et elle ne dit plus rien. Chicot la regardait accomplir sa besogne. Ses doigts crochus, noués, durs comme des pattes de crabe, saisissaient à la façon de pinces les tubercules grisâtres dans une manne [1], et vivement elle les faisait tourner, enlevant de longues bandes de peau sous la lame d'un vieux couteau qu'elle tenait de l'autre main. Et, quand la pomme de terre était devenue toute jaune, elle la jetait dans un seau d'eau. Trois poules hardies s'en venaient l'une après l'autre jusque dans ses jupes ramasser les épluchures, puis se sauvaient à toutes pattes, portant au bec leur butin.

Chicot semblait gêné, hésitant, anxieux, avec quelque chose sur la langue qui ne voulait pas sortir. À la fin, il se décida :

« Dites donc, mère Magloire...

— Qué qu'i a pour votre service ?

— C'te ferme, vous n'voulez toujours point m'la vendre ?

— Pour ça non. N'y comptez point. C'est dit, c'est dit, n'y r'venez pas.

— C'est qu'j'ai trouvé un arrangement qui f'rait notre affaire à tous les deux.

— Qué qu'c'est ?

— Le v'là. Vous m'la vendez, et pi vous la gardez tout d'même. Vous n'y êtes point ? Suivez ma raison [2]. »

La vieille cessa d'éplucher ses légumes et fixa sur l'aubergiste ses yeux vifs sous leurs paupières fripées.

Il reprit :

« Je m'explique. J'vous donne, chaque mois cent cinquante francs. Vous entendez bien : chaque mois j'vous apporte ici, avec mon tilbury, trente écus de cent sous. Et pi n'y a rien de changé de plus, rien de rien ; vous restez chez vous, vous

1. Grand panier d'osier.
2. Mon raisonnement.

n'vous occupez point de mé, vous n'me d'vez rien. Vous n'faites que prendre mon argent. Ça vous va-t-il ? »

Il la regardait d'un air joyeux, d'un air de bonne humeur.

La vieille le considérait avec méfiance, cherchant le piège. Elle demanda :

« Ça, c'est pour mé ; mais pour vous, c'te ferme, ça n'vous la donne point ? »

Il reprit :

« N'vous tracassez point de ça. Vous restez tant que l'bon Dieu vous laissera vivre. Vous êtes chez vous. Seulement vous m'ferez un p'tit papier chez l'notaire pour qu'après vous ça me revienne. Vous n'avez point d'éfants, rien qu' des neveux que ¹ vous n'y tenez guère. Ça vous va-t-il ? Vous gardez votre bien votre vie durant, et j'vous donne trente écus de cent sous par mois. C'est tout gain pour vous. »

La vieille demeurait surprise, inquiète, mais tentée. Elle répliqua :

« Je n'dis point non. Seulement, j' veux m' faire une raison là-dessus. Rev'nez causer d'ça dans l'courant d' l'autre semaine. J' vous f'rai une réponse d' mon idée. »

Et maître Chicot s'en alla, content comme un roi qui vient de conquérir un empire.

La mère Magloire demeura songeuse. Elle ne dormit pas la nuit suivante. Pendant quatre jours, elle eut une fièvre d'hésitation. Elle flairait bien quelque chose de mauvais pour elle là-dedans, mais la pensée des trente écus par mois, de ce bel argent sonnant qui s'en viendrait couler dans son tablier, qui lui tomberait comme ça du ciel, sans rien faire, la ravageait de désir.

Alors elle alla trouver le notaire et lui conta son cas. Il lui conseilla d'accepter la proposition de Chicot, mais en

---

1. Auxquels.

demandant cinquante écus de cent sous au lieu de trente, sa ferme valant au bas mot soixante mille francs.

«Si vous vivez quinze ans, disait le notaire, il ne la paiera encore de cette façon, que quarante-cinq mille francs.»

La vieille frémit à cette perspective de cinquante écus de cent sous par mois; mais elle se méfiait toujours, craignant mille choses imprévues, des ruses cachées, et elle demeura jusqu'au soir à poser des questions, ne pouvant se décider à partir. Enfin elle ordonna de préparer l'acte, et elle rentra troublée comme si elle eût bu quatre pots de cidre nouveau.

Quand Chicot vint pour savoir la réponse, elle se fit longtemps prier, déclarant qu'elle ne voulait pas, mais rongée par la peur qu'il ne consentît point à donner les cinquante pièces de cent sous. Enfin, comme il insistait, elle énonça ses prétentions.

Il eut un sursaut de désappointement et refusa.

Alors, pour le convaincre, elle se mit à raisonner sur la durée probable de sa vie.

«Je n'en ai pas pour pu de cinq à six ans pour sûr. Me v'là sur mes soixante-treize, et pas vaillante avec ça. L'aut'e soir, je crûmes[1] que j'allais passer[2]. Il me semblait qu'on me vidait l'corps, qu'il a fallu me porter à mon lit.»

Mais Chicot ne se laissait pas prendre.

«Allons, allons, vieille pratique[3], vous êtes solide comme l' clocher d' l'église. Vous vivrez pour le moins cent dix ans. C'est vous qui m'enterrerez, pour sûr.»

Tout le jour fut encore perdu en discussions. Mais,

---

1. Beaucoup de paysans s'exprimaient ainsi à la première personne du pluriel.
2. Mourir.
3. Cf. *La Ficelle.*

comme la vieille ne céda pas, l'aubergiste, à la fin, consentit à donner les cinquante écus.

Ils signèrent l'acte le lendemain. Et la mère Magloire exigea dix écus de pots-de-vin [1].

Trois ans s'écoulèrent. La bonne femme se portait comme un charme. Elle paraissait n'avoir pas vieilli d'un jour, et Chicot se désespérait. Il lui semblait, à lui, qu'il payait cette rente depuis un demi-siècle, qu'il était trompé, floué [2], ruiné. Il allait de temps en temps rendre visite à la fermière, comme on va voir, en juillet, dans les champs, si les blés sont mûrs pour la faux. Elle le recevait avec une malice dans le regard. On eût dit qu'elle se félicitait du bon tour qu'elle lui avait joué ; et il remontait bien vite dans son tilbury en murmurant :

« Tu ne crèveras donc point, carcasse ! »

Il ne savait que faire. Il eût voulu l'étrangler en la voyant. Il la haïssait d'une haine féroce, sournoise, d'une haine de paysan volé.

Alors il chercha des moyens.

Un jour enfin, il s'en revint la voir en se frottant les mains, comme il faisait la première fois lorsqu'il lui avait proposé le marché.

Et après avoir causé quelques minutes :

« Dites donc, la mère, pourquoi que vous ne v'nez point dîner à la maison, quand vous passez à Épreville ? On en jase ; on dit comme ça que j' sommes pu amis, et ça me fait deuil [3]. Vous savez, chez mé, vous ne paierez point. J' suis pas regardant [4] à un dîner. Tant que le cœur vous en dira, v'nez sans retenue, ça m' fera plaisir. »

---

1. Cadeau traditionnel lors d'une vente.
2. Trompé et volé.
3. Ça me rend triste comme la mort d'un proche.
4. Mesquin, pingre.

La mère Magloire ne se le fit point répéter, et le surlen-
demain, comme elle allait au marché dans sa carriole
conduite par son valet Célestin, elle mit sans gêne son cheval à l'écurie chez maître Chicot, et réclama le dîner promis.

L'aubergiste, radieux, la traita comme une dame, lui ser-
vit du poulet, du boudin, de l'andouille, du gigot et du lard
aux choux. Mais elle ne mangea presque rien, sobre depuis
son enfance, ayant toujours vécu d'un peu de soupe et d'une
croûte de pain beurrée.

Chicot insistait, désappointé. Elle ne buvait pas non plus.
Elle refusa de prendre du café.

Il demanda :

«Vous accepterez toujours bien un p'tit verre.

— Ah ! pour ça, oui. Je ne dis pas non. »

Et il cria de tous ses poumons, à travers l'auberge :

«Rosalie, apporte la fine, la surfine, le fil-en-dix [1]. »

Et la servante apparut, tenant une longue bouteille ornée
d'une feuille de vigne en papier.

Il emplit deux petits verres.

«Goûtez ça, la mère, c'est de la fameuse. »

Et la bonne femme se mit à boire tout doucement, à
petites gorgées, faisant durer le plaisir. Quand elle eut vidé
son verre, elle l'égoutta, puis déclara :

«Ça oui, c'est de la fine. »

Elle n'avait point fini de parler que Chicot lui en versait
un second coup. Elle voulut refuser, mais il était trop tard,
et elle le dégusta longuement, comme le premier.

Il voulut alors lui faire accepter une troisième tournée,
mais elle résista. Il insistait :

«Ça, c'est du lait, voyez-vous ; mé, j'en bois dix, douze
sans embarras. Ça passe comme du sucre. Rien au ventre,

_____

1. Alcools de plus en plus forts.

rien à la tête ; on dirait que ça s'évapore sur la langue. Y a rien de meilleur pour la santé ! »

Comme elle en avait bien envie, elle céda, mais elle n'en prit que la moitié du verre.

Alors Chicot, dans un élan de générosité, s'écria :

« T'nez, puisqu'elle vous plaît, j' vas vous en donner un p'tit fût, histoire de vous montrer que j' sommes toujours une paire d'amis. »

La bonne femme ne dit pas non et s'en alla, un peu grise.

Le lendemain, l'aubergiste entra dans la cour de la mère Magloire, puis tira du fond de sa voiture une petite barrique cerclée de fer. Puis il voulut lui faire goûter le contenu, pour prouver que c'était bien la même fine ; et, quand ils en eurent encore bu chacun trois verres, il déclara, en s'en allant :

« Et puis, vous savez, quand n'y en aura pu, y en a encore ; n' vous gênez point, je n'suis pas regardant. Pu tôt que ce sera fini, pu que je serai content. »

Et il remonta dans son tilbury.

Il revint quatre jours plus tard. La vieille était devant sa porte, occupée à couper le pain de la soupe.

Il s'approcha, lui dit bonjour, lui parla dans le nez, histoire de sentir son haleine. Et il reconnut un souffle d'alcool. Alors son visage s'éclaira.

« Vous m'offrirez bien un verre de fil ? » dit-il.

Et ils trinquèrent deux ou trois fois.

Mais bientôt le bruit courut dans la contrée que la mère Magloire s'ivrognait toute seule. On la ramassait tantôt dans sa cuisine, tantôt dans sa cour, tantôt dans les chemins des environs, et il fallait la rapporter chez elle, inerte comme un cadavre.

Chicot n'allait plus chez elle, et, quand on lui parlait de la paysanne, il murmurait avec un visage triste :

« C'est-il pas malheureux, à son âge, d'avoir pris c't'habi-

tude-là ? Voyez-vous, quand on est vieux, y a pas de res-
source. Ça finira bien par lui jouer un mauvais tour ! »

Ça lui joua un mauvais tour, en effet. Elle mourut l'hiver
suivant, vers la Noël, étant tombée, soûle, dans la neige.

Et maître Chicot hérita de la ferme, en déclarant :

« C'te manante[1], si alle s'était point boissonnée[2], alle en
avait bien pour dix ans de plus. »

1. Cf . *La Ficelle.*
2. Adonnée à la boisson.

Du tableau

au texte

Valérie Lagier

Du tableau au texte

Pauvre femme,
de Jean-Pierre Alexandre Antigna

… Leur souffrance est immense, et nulle pitié ne la soulage…

De ces douze contes de Maupassant, se dégage une même atmosphère lourde et cruelle. Nul espoir, nulle lumière ne vient en alléger le climat. Car, lorsqu'il explore l'âme humaine, Maupassant en saisit essentiellement le côté sombre et parfois sordide. Certains de ses personnages sont avides, rancuniers, brutaux, médiocres, sans humanité ; les autres, souvent des femmes, des enfants, des pauvres sont leurs victimes, sans défense devant la cruauté de leurs actes. Le monde que l'auteur décrit est régi par des valeurs bourgeoises : la morale, la respectabilité et l'argent, et quiconque n'entre pas dans ce moule étroit est en butte à la vindicte sociale. Dans *Le Papa de Simon,* l'enfant est moqué parce qu'il n'a pas de père. Dans *Mon oncle Jules,* le frère devenu gueux n'est plus digne d'être salué. Dans *Le Saut du Berger,* les deux amants qui ont l'impudence de s'aimer dans un coin reculé de nature sont condamnés à mort par le prêtre fou. Et les grands perdants de cette société sont les femmes et les gueux. Leur souffrance est immense, et nulle pitié ne la soulage. Les femmes sont souvent abusées, engrossées par un bourgeois qui les abandonne, ou pis, achète leur silence comme dans *Histoire vraie*. L'excès de souffrance, comme la mort d'un fils, dans *Une vendetta* ou *La Mère Sauvage*, peut parfois les conduire à la vengeance et au crime. Les pauvres, comme le *Gueux*, à la fois miséreux et infirme, appartiennent à la fange de la société qui, sans un remords, sans une hésitation, les laisse mourir de faim. Dans cet univers noir et dépourvu d'humanité, une seule figure est capable d'amour. Elle est à la fois femme et pauvre, doublement en marge. C'est la *Rempailleuse*, dont l'histoire, contée avec toute la cruauté dont est capable Maupassant, arracherait des larmes à une pierre. Ce récit « d'une passion qui dura cinquante-cinq ans sans un jour de répit, et qui ne se termina que par la mort » met en scène un être démuni qui donne tout, avec une générosité exempte de calcul, à un homme vil, « gros et rouge », « important et satisfait ». Incapable de ressentir la noblesse de cet amour donné par cette pauvre femme, il n'y répond que par le mépris. « Oh ! si je l'avais su de son vivant, je l'aurais fait arrêter par la gendarmerie et flanquer en prison » est la seule réflexion que lui inspire cette dévotion dont il est l'objet. Sans oublier d'encaisser l'argent que cette malheureuse lui destinait, économisant tout au long de sa vie, « jeûnant même pour mettre de côté », dans le seul but « qu'il penserait à elle, au moins une fois, quant elle serait morte ». Cette rempailleuse, morte de détresse, n'ayant jamais connu un instant de bonheur, est sœur de cette autre malheureuse, née sous le pinceau d'Antigna, dans ce tableau intitulé *Pauvre femme* et daté de 1857. Un même sentiment d'infinie tristesse, une même émotion nous étreignent à l'évocation de ces deux destins, pareillement marqués au coin de l'injustice.

… l'empreinte de la mort sur ce corps autrefois doué de vie…

Cette femme allongée dans la neige, les mains crispées par le froid et la fatigue, est morte d'avoir trop peiné. Elle a usé ses forces à ramasser des fagots de petit bois, destinés au chauffage de son logis. Ou alors, ceux-ci, vendus ou échangés contre de la nourriture, lui auraient permis de survivre. La neige, le vent, le froid ont alors eu raison de ses derniers efforts désespérés pour assurer sa subsistance. Pour accentuer le tragique du récit, Antigna n'a pas hésité à situer la scène dans un cimetière, évoqué par une croix de pierre. Afin de ne laisser aucun répit au spectateur, le peintre a choisi une vue rapprochée, qui met l'accent sur le corps de la femme, occupant toute la largeur de la composition. Aucune échappée n'est ménagée pour l'œil, le décor est volontairement dépouillé pour concentrer le regard vers la silhouette de la morte. La neige est tout autour, avec son manteau blanc grisâtre, ombré de vert sombre. Afin de noyer un peu plus le corps dans le paysage et accentuer l'impression morbide, Antigna a enveloppé les vêtements et le visage de la femme de la même lumière blafarde et des mêmes tonalités glacées. Par la couleur, l'artiste marque l'empreinte de la mort sur ce corps autrefois doué de vie et de chaleur. Les fagots de bois, comme une carapace grise enveloppant le dos de la pauvre femme, évoquent irrésistiblement l'image d'un autre fardeau : la croix portée par le Christ sur le chemin du Calvaire. D'ailleurs, pour traduire l'expression de douleur dans le visage et les mains de sa morte, Antigna puise volontiers dans le vocabulaire artistique réservé aux figures de saints martyrs. Si le pinceau se fait réaliste, dès lors qu'il traduit en guenilles usées à l'étoffe grossière les vêtements de la pauvresse, ou qu'il tente de nous donner à sentir l'épaisseur floconneuse du manteau neigeux, il ne cherche nullement à approfondir la dimension psychologique du personnage ni à s'appesantir sur les stigmates de la mort. Le visage est une tête d'expression comme ont tenté d'en reconstituer de manière scientifique les artistes baroques. En un mot, cette femme n'est pas un portrait, mais un symbole. Elle n'est pas un individu donné, elle parle pour toutes les malheureuses de son temps, réduites à la misère et à la mort, dans un langage expressif presque théâtral. Et la mort n'a pas altéré ses traits, elle n'a fait que les endormir.

... un réalisme assagi, presque officiel...

Car cette œuvre a été réalisée par Antigna pour figurer au Salon de 1857, à une époque où le réalisme, un réalisme assagi, presque officiel, désormais encouragé par le Second Empire, envahit les cimaises du Palais de l'Industrie. Le Salon est pour les artistes un des rares moyens de reconnaissance sociale en ce milieu du XIXe siècle. C'est lors de cette exposition bisannuelle, sanctionnée par un jury, étroitement contrôlée par les autorités culturelles de l'Empire, que les artistes peuvent offrir leurs œuvres au regard du public. C'est ainsi qu'ils se font peu à peu connaître, avec le secours des critiques d'art qui font et défont les réputations. Car le Salon est un événement artistique extrêmement populaire. Les articles, la caricature, qui en rendent compte, assurent, parfois au prix du scandale, la notoriété des artistes. De cette visibilité découlent commandes publiques, achats de l'État ou commandes privées, alors leurs seuls moyens de subsistance. Dans ce Salon de

1857, où figure cette *Pauvre femme* d'Antigna, on est loin, malgré le sujet, des batailles du réalisme qui ont agité le Salon de 1850-1851, où les œuvres de Courbet avaient déchaîné la vindicte des critiques et de l'administration. Son *Enterrement à Ornans* (musée d'Orsay) lui avait alors valu de la part de Nieuwerkerke, ministre de Napoléon III, une sanglante critique : « C'est de la peinture de démocrates, de ces hommes qui ne changent pas de linge, qui veulent s'imposer aux gens, au monde : cet art me déplaît et me dégoûte. » On lui reprochait aussi bien ses sujets triviaux que sa manière de peindre, qui ne cherchait nullement à enjoliver. En 1857, c'est un réalisme « bon teint » que va encourager l'Empire, par l'intermédiaire du même Nieuwerkerke, devenu président à vie du jury du Salon, un réalisme qui insiste sur les sujets paysans et ouvriers, mais dans un respect du bon goût qui gomme les aspérités les plus rebutantes du monde réel. Les pauvres peuvent être pauvres, mais rester dignes et sans odeur ! C'est à cette tendance qu'appartient cette *Pauvre femme* d'Antigna, car si l'artiste y plaide la cause des opprimés et des déshérités, c'est avec une décence qui ne choque pas le regard du bourgeois.

… une certaine théâtralité…

On ne peut pourtant pas lui reprocher de ne pas s'intéresser aux classes populaires en ce milieu du XIXe siècle, où les conditions de vie sont parfois effrayantes pour ceux qui sont touchés de plein fouet par la crise économique et les bouleversements politiques. Car dès 1845, après avoir longtemps consacré son talent à des sujets religieux, Antigna multiplie les scènes réalistes à caractère social, qui font de lui une figure importante du réalisme né dans le sillage de la Révolution de

1848, avec Jules Breton, François Bonvin ou Isidore Pils. Le prolétariat urbain dont il décrit la précarité, Antigna le connaît en voisin, résidant dans l'île Saint-Louis, l'un des quartiers les plus pauvres et les plus peuplés de la capitale. Dans des formats souvent très imposants, il cherche à rendre le pathétique d'une situation (*L'Incendie, La Mort du pauvre, La Halte forcée*) sans toutefois éviter une certaine théâtralité, empruntant beaucoup de ces artifices à la grande peinture d'histoire. Ainsi, une certaine grandiloquence dans les gestes et les attitudes donne parfois un caractère un peu artificiel à ses sujets, pourtant puisés dans son environnement immédiat. Plusieurs de ses œuvres lui valent la reconnaissance publique à travers des médailles au Salon et des achats de l'État, signe que son œuvre suscite l'émotion plus que le choc. La critique lui est d'ailleurs globalement favorable. Le caractère édifiant de son œuvre trouve un écho chez les républicains sans heurter de front les légitimistes. Certains, comme Alexis de Calonne, lui reprochent, dans son *Incendie* présenté au Salon de 1850-1851, d'avoir peint des « charbonniers », mais l'intention morale dégagée par ses œuvres est assez largement saluée par la critique. Le réalisme d'Antigna, peut-être parce que son pinceau ne flirte jamais avec la laideur, qui fascine son contemporain Courbet, ne suscitera ni le même scandale ni la même notoriété.

… susciter l'émotion, la honte…

Si les œuvres d'Antigna et de Maupassant se répondent, c'est tout autant par le souci des détails qui disent la misère en quelques traits d'écriture ou de pinceau que par la volonté d'édification morale dont elles sont chargées. Maupassant dit de sa *Rempailleuse* qu'elle était

« haillonneuse, vermineuse, sordide », comme la *Pauvre femme* d'Antigna. Il n'hésite pas aussi à placer son seul rendez-vous « galant » avec Chouquet, à l'âge de onze ans, « derrière le cimetière », comme pour appuyer le misérabilisme de la situation. Cet artifice — renforcer la tristesse d'une scène en la plaçant délibérément dans un endroit déjà fortement chargé d'un sentiment d'effroi — est utilisé avec la même efficacité par le peintre. Au fond, chacun force le trait, comme si les vies de ces deux femmes n'étaient pas déjà en soi source de compassion. Dans un cas comme dans l'autre, le propos est une démonstration destinée à susciter l'émotion, la honte du public qui, confortablement installé, observe le destin d'une malheureuse à qui rien n'est épargné. Au-delà d'un simple constat du réel, ces deux œuvres tentent d'édifier et de questionner, quitte à théâtraliser le propos. Car, comme Antigna, Maupassant n'entre pas dans la psychologie de ses personnages, il en fait des archétypes, et sa vision du monde n'offre guère de nuances. La *Rempailleuse* apparaît, au même titre que la *Pauvre femme*, comme une figure de sainte. Elle est pauvre, mais donne tout ce qu'elle a, sans rien demander en retour. On lui « jette des pierres ». Elle est tout amour et souffre, pleurant de « peine et d'humiliation ». En face, Maupassant nous montre un Chouquet sans aucune once d'humanité ni de compassion, jamais ébranlé par des questions ni des remords. L'une est figure de bonté, l'autre de méchanceté, dans un manichéisme dépourvu de demi-teintes. Mais ce parti pris, en peinture comme en littérature, se révèle d'une redoutable efficacité. La pitié est le sentiment qui nous submerge, chez Maupassant et chez Antigna, la colère aussi, mais, en tout cas, jamais l'indifférence qui ajouterait un affront supplémentaire à la terrible destinée de ces deux malheureuses.

Le texte

en perspective

Jean Glorieux

Vie littéraire

Du réalisme au naturalisme

LES ÉCRIVAINS NATURALISTES ont publié leurs œuvres à la fin du XIXᵉ siècle, des dernières années du Second Empire (1851-1870) aux premières années de la Troisième République (1870-1939). On peut citer quelques figures représentatives de ce mouvement. Edmond et Jules de Goncourt (1822-1896 et 1830-1870) ont fondé le prix littéraire qui porte encore aujourd'hui leur nom et ont écrit *Germinie Lacerteux*, en 1865. Émile Zola (1840-1902) est le théoricien du mouvement naturaliste et l'auteur du cycle romanesque *Les Rougon-Macquart*. Guy de Maupassant (1850-1893) est l'auteur de six romans et de deux cent soixante contes ou nouvelles. Alphonse Daudet (1840-1897), en marge des *Contes du Lundi*, a publié deux romans : *Le Petit Chose* et *Jack*. Jules Vallès (1832-1885) a écrit une trilogie autobiographique : *L'Enfant, Le Bachelier, L'Insurgé*.

1.

Les écrivains et leur époque

1. *Les courants littéraires*

Les premiers écrivains naturalistes se réunissent autour d'Émile Zola, dans sa propriété en bord de

Seine. À ce Groupe de Médan appartiennent Paul Alexis, Léon Hennique, Henry Céard, Joris-Karl Huysmans et Guy de Maupassant. Ils publient en commun un recueil de nouvelles : *Les Soirées de Médan*, comprenant notamment *Boule de Suif* de Maupassant.

Les écrivains naturalistes ont lu les écrivains **romantiques**, et se regroupent en réaction contre leur courant qui commence avec les *Méditations* de Lamartine, en 1820, et s'achève avec *L'Art d'être grand-père* de Victor Hugo, en 1877. Ils sont proches, en revanche, des poètes **parnassiens** (Leconte de Lisle et *Poèmes antiques*, Théophile Gautier et *Émaux et camées*) et contemporains des poètes **symbolistes** (Paul Verlaine, auteur des recueils *Poèmes saturniens* et *Romances sans paroles*, Arthur Rimbaud et ses *Poésies* et *Illuminations*).

2. *La Troisième République*

La plupart des écrivains naturalistes ont été jeunes sous le Second Empire. Ils ont alors observé la profonde transformation de la société française, marquée par quelques événements importants : la révolution industrielle, commencée sous Louis-Philippe, et le coup d'État de Louis-Napoléon Bonaparte. Coexistent alors l'exode rural et l'industrialisation, l'avènement de la bourgeoisie d'affaires et la constitution du prolétariat, l'essor du capitalisme et les grands travaux, tout comme la misère dans les faubourgs, l'alcoolisme et la prostitution.

Ils sont devenus adultes et ont publié leurs œuvres au début de la Troisième République, après la défaite de Sedan (septembre 1870) qui met fin au régime impérial, puis l'insurrection populaire de la Commune de Paris (mars-mai 1871), dont la répression dans le sang marque l'opinion. Si le régime républicain est adopté, à une voix de majorité, si la France est dotée d'une constitution (1875), le conflit reste patent entre monarchistes et républicains, catholiques et laïques, « revanchards » et pacifistes, comme en témoignent l'affaire Boulanger en 1889 et l'affaire Dreyfus aux dernières années du siècle.

Parallèlement, un essor scientifique sans précédent, le développement de l'économie, l'expansion coloniale, l'organisation de l'enseignement, la diffusion des idées progressistes inaugurent une époque radicalement nouvelle : les temps modernes, en quelque sorte.

2.

L'héritage réaliste

Les écrivains dits « réalistes » comme Balzac, Flaubert, voire Stendhal, se sont efforcés de représenter la réalité humaine et sociale telle qu'elle est, sans s'égarer dans l'imaginaire. En 1842, Balzac, dans son avant-propos à *La Comédie humaine*, définit ainsi le projet des romanciers réalistes : « En dressant l'inventaire des vices et des vertus, en rassemblant les principaux faits des passions, en peignant les caractères, en choisissant les événements principaux de la société, en composant des types par la réunion des traits de plusieurs caractères homogènes, peut-être pouvais-je arriver à écrire l'histoire oubliée par tant d'historiens, celles des mœurs. »

1. *Le refus de l'idéalisation romantique*

Les réalistes refusent de céder à « l'illusion lyrique » des écrivains romantiques, souvent enclins à idéaliser le monde en projetant leurs propres attentes ou des valeurs encore peu partagées. Zola exclut à son tour toute prépondérance de la sensibilité individuelle et maintient le cap de l'impartialité. Dans *Le Roman expérimental*, il explique que « le romancier doit également s'en tenir aux faits observés, à l'étude scrupuleuse de la nature s'il ne veut pas s'égarer dans des conclusions menteuses ». L'écrivain ajoute une précieuse confidence quelques lignes plus loin : « Nous sommes gangrenés de romantisme jusqu'aux moelles. » Maupassant réaffirme d'ailleurs cette priorité dans sa préface à *Pierre et Jean* (1888) en opposant les écoles romantique et réaliste. La première offre une « vision déformée » de la vie alors que la seconde ne montre au lecteur que « la vérité, rien que la vérité et toute la vérité ».

2. *L'observation de l'être humain et social*

Maupassant adhère donc au principe légué par Balzac et Flaubert et s'efforce de poser sur le monde un regard impartial. En 1885, il explique dans une lettre à Maurice Vaucaire qu'il veut « voir juste », c'est-à-dire « voir avec ses propres yeux ». Il introduit toutefois deux nuances qui le démarquent de Zola. Pour enraciner la fiction dans la réalité, l'auteur des *Rougon-Macquart* réunit d'abondantes documentations préalables, souvent recueillies sur place, et dont il fait la matière de ses romans, à la manière d'un journaliste préparant un reportage.

Maupassant, quant à lui, puise dans sa vie personnelle et dans l'observation de la société, puis métamorphose ces faits en œuvre de fiction par l'écriture et le discernement. Il explique dans la préface à *Pierre et Jean* que le romancier doit faire un choix car il est impossible de tout raconter. Car la vie, « en outre, est composée des choses les plus différentes, les plus imprévues, les plus contraires, les plus disparates; elle est brutale, sans suite, sans chaîne, pleine de catastrophes inexplicables, illogiques et contradictoires qui doivent être classées au chapitre faits-divers». Le romancier doit donc choisir avec soin certains faits afin de construire une histoire cohérente.

Les deux écrivains se différencient aussi dans la manière dont ils écrivent leurs textes. Alors que Zola imagine une langue foisonnante d'inventions, roulant comme un torrent la métaphore, l'effet de rythme, le jeu sonore, l'emphase et le lyrisme, Maupassant adopte une expression sobre et précise, proche de l'écriture de Stendhal, et se situant donc dans une tradition classique.

3.

Le projet naturaliste

Le mouvement naturaliste naît toutefois d'une double transformation de l'esprit scientifique précipitant l'évolution des mentalités, et de la nouvelle organisation sociale consécutive à la révolution industrielle. L'essor des sciences dites « naturelles » se fonde alors sur l'observation minutieuse des phénomènes biologiques. La théorie évolutionniste, notamment, élaborée par les savants Lamarck (*Recherches sur l'organisation des espèces*, 1802) et Darwin (*De l'origine des espèces*, 1859) implique l'examen raisonné de la transmission des caractères héréditaires en vue d'une adaptation au milieu et à la suite d'une sélection spontanée.

Les conflits d'intérêt entre la bourgeoisie et le prolétariat engendrent les premières luttes sociales, durement réprimées, la montée en puissance du syndicalisme et l'apparition de la critique politique. Les penseurs socialistes qui œuvrent dans différents pays d'Europe, comme Proudhon, Blanqui, Guesde et Marx, dénoncent la recherche du profit et l'accumulation capitaliste, tandis que le catholicisme social et la première encyclique sociale, *Rerum novarum* (1891), déplorent la misère et la dégradation des mœurs.

À la pensée scientifique, les écrivains naturalistes empruntent la volonté de faire apparaître le rôle du corps dans les comportements. Zola compare dans *Le Roman expérimental* le travail du romancier à celui des scientifiques : « nous devons opérer sur les caractères, sur les passions sur les faits humains et sociaux comme le chimiste et le physicien opèrent sur les corps bruts, comme le physiologiste opère sur les corps vivants ».

À la pensée politique, ils empruntent la volonté de faire apparaître l'influence de la situation faite à l'individu au sein de la société. Ainsi, Maupassant écrit dans la préface de *Pierre et Jean* que le romancier « montrera de cette façon, tantôt comment les esprits se modifient sous l'influence des circonstances environnantes, tantôt comment se développent les sentiments et les passions, comment on s'aime, comment on se hait, comment on se combat dans tous les milieux sociaux, comment luttent les intérêts bourgeois, les intérêts d'argent, les intérêts de famille, les intérêts politiques ». D'ailleurs le sous-titre donné par Zola aux vingt romans des Rougon-Macquart, *Histoire naturelle et sociale d'une famille sous le Second Empire,* illustre clairement cette double filiation et annonce l'entrecroisement constant dans toute l'œuvre naturaliste de deux thèmes récurrents : le double rôle du tempérament humain et de la position sociale qu'illustre, chez Zola et chez Maupassant, la double quête du plaisir et du profit.

4.

La recherche des causes

1. *Rechercher la vérité*

Ici apparaît alors la véritable différence entre le projet réaliste et le projet naturaliste : la volonté de faire un pas de plus vers la vérité en ajoutant une explication — formulée ou suggérée — à la simple observation des faits. Dans *Le Roman expérimental*, Zola compare le travail du romancier à celui d'un scientifique qui fait « l'anatomie des classes et des individus pour expliquer les détraquements qui se produisent dans la société et dans l'homme ». On retrouve cette même idée chez Maupassant qui déclare dans une lettre à Maurice Vaucaire qu'« il faut trouver aux choses une signification qui n'a pas encore été découverte ». Le romancier est là non pour nous « raconter une histoire » mais pour nous « forcer à penser, à comprendre le sens profond et caché des événements » (préface à *Pierre et Jean*).

Moins théoricien que Zola, Maupassant évoque à maintes reprises dans ses contes et ses nouvelles les raisons culturelles et sociales du comportement de ses personnages : la misère et la violence des hommes qui mènent les filles à la prostitution (*L'Odyssée d'une fille*), le culte du travail et de la propriété qui conduit un village à laisser mourir de faim un enfant estropié (*Le Gueux*), la priorité donnée à l'argent aux dépens des sentiments (*L'Héritage*). Parfois même l'explication se révèle complexe et fait appel au tempérament, au conditionnement et à l'absence de conscience morale pour expliquer, par exemple, le viol et le meurtre d'une gamine de douze ans par le maire du village. On lit dans *La Petite Roque* le passage suivant : « Sa nature brutale ne se prêtait à aucune nuance de sentiment ou de crainte morale. Homme d'énergie et même de violence, né pour faire la guerre, ravager les pays conquis et massacrer les vaincus, plein d'instincts sauvages de chasseur et de batailleur, il ne comptait guère la vie humaine. Bien qu'il respectât l'Église, par politique, il ne croyait ni à Dieu, ni au diable, n'attendant par conséquent, dans une autre vie, ni châtiment, ni récompense de ses actes en celle-ci. »

2. *Deux influences... et une liberté*

Cette exigence de vérité se réclame d'ailleurs de deux grands courants d'opinion, parrainages revendiqués par les naturalistes : les Lumières (Voltaire, Diderot, Rousseau) qui ont « éclairé » le XVIIIe siècle ; et deux « maîtres à penser » du XIXe siècle : le fondateur de la « philosophie positive », Auguste Comte, et le critique intransigeant d'art et d'histoire, Hippolyte Taine. Ils en admirent à la fois le courage politique et la rigueur nationaliste.

Cela dit, Maupassant, pourtant fidèle jusqu'au bout à Zola et au Groupe de Médan, a moins conscience que ses amis d'appartenir à un courant littéraire. Il explique dans *Le Gaulois* du 17 avril 1880 qu'il n'a pas « la prétention d'être une école ». Chaque écrivain est lié aux autres par une admiration commune et par certaines affinités, tout en conservant une indépendance créatrice.

5.

De l'enthousiasme au discrédit

Bien entendu, les intentions théoriques ne coïncident pas exactement avec la mise en écriture, tant il est vrai que tout raisonnement implique des règles, et toute création des exceptions. Dans un premier temps, le petit groupe d'écrivains réunis à Médan autour de Zola produit à la fois des œuvres de réflexion qui renouvellent l'écriture, et des œuvres de fiction qui séduisent un large public. Au fil du temps, ces écrits suscitent toutefois des objections dans l'opinion, qui s'expriment, dès 1887, dans un « Manifeste des Cinq » signé pourtant par d'anciens amis. Trompé par une connaissance encore approximative de la transmission héréditaire, Zola exagérerait l'influence des « tares » familiales sur les comportements individuels. Il multiplierait aussi des scènes qui choquent l'opinion : beuverie, débauche, fusillade et encourrait à maintes reprises, le reproche d'immoralisme et d'obscénité, comme, en 1857, Gustave Flaubert dans *Madame Bovary* et Charles Baudelaire dans *Les Fleurs du mal*. Maupassant lui-même ne met-il pas en scène dans les contes l'adultère, le viol, le crime, voire l'inceste entre un frère et une sœur, un père et sa fille ?

Cette complaisance pour le désir sensuel, la pulsion meurtrière et la folie destructrice conduit souvent les écrivains naturalistes à exprimer, ou susciter, un pessimisme désespéré. Maupassant écrit dans *La Morte* un propos qui signale au lecteur sa vision pessimiste de la condition humaine : « Je voyais que tous avaient été les bourreaux de leurs proches, haineux, déshonnêtes, hypocrites, menteurs, fourbes, calomniateurs, envieux ; qu'ils avaient volé, trompé, accompli tous les actes abominables, ces bons pères, ces épouses fidèles, ces fils dévoués, ces commerçants probes, ces hommes et ces femmes dits irréprochables. »

En outre, Zola semble avoir trop présumé du pouvoir littéraire en prétendant mener dans le roman une expérimentation analogue à celle des biologistes et des sociologues, comme en témoigne le titre de son livre, *Le Roman expérimental* : « Le romancier, fait d'un observateur, puis d'un expérimentateur, fait mouvoir les personnages dans une histoire particulière pour y montrer que la succession des faits y sera telle que l'exige le déterminisme des phénomènes mis à l'étude. [...] et nous apportons les documents nécessaires pour qu'on puisse, en les connaissant, dominer le mal et le bien. » Or, les personnages d'un écrivain restent des êtres de fiction dont les comportements ne peuvent être analysés comme ceux des êtres vivants. Ils ne sont ni auscultés, ni interrogés, et leur évolution semble figée, déterminée d'abord par les enjeux du récit. En littérature, l'imagination l'emporte sur le savoir, mais, dans les sciences, le savoir a le dernier mot sur l'imagination.

Remy de Gourmont, un critique d'alors, conclut le débat avec bon sens : « Maintenant, il faut être juste ; tout n'était pas mauvais, sans rémission, dans la formule naturaliste. L'observation exacte est indispensable à la refabrication artistique de la vie. [...] Ce besoin d'exactitude, le Naturalisme nous l'a mis dans le sang : tel est son rôle et son bienfait » (*Réalisme et naturalisme*).

Bibliographie

Le Naturalisme, colloque de Cerisy, 10/18, UGE, Paris, 1978.

J.H. BORNECQUE et P. COGNY, *Réalisme et naturalisme*, Hachette, Paris, 1958.

Mariane BURY, *La Vision du monde chez Maupassant*, thèse, Paris, 1991.

Pierre COGNY, *Le Naturalisme*, PUF, Paris, 1976; *Maupassant peintre de son temps*, Larousse, Paris, 1976.

L'écrivain
à sa table de travail

La mise en écriture

1.

Contes et nouvelles

1. *L'un ou l'autre ?*

Maupassant établit une distinction entre le « conte »
et la « nouvelle ». Le « conte » est un récit court dont le
nombre de pages est variable. Certains textes ont de six
à huit pages comme *Coco, Une vendetta,* d'autres ont
entre douze et quatorze pages comme *En mer, La Rempailleuse.* La « nouvelle » est un récit plus long. Par
exemple, *La Maison Tellier* ou *La Petite Roque* ont entre
vingt et quarante pages, alors que *Boule de Suif* ou *Yvette*
sont des textes de cinquante à cent pages. L'un et
l'autre se caractérisent, en raison même de leur briè-
veté, par une action simple, des personnages peu nombreux, une tonalité dominante. Contrairement au
roman, ils sont conçus pour être lus d'une traite, sans
exigence de mémorisation. À une époque, enfin, où les
deux termes sont employés indistinctement, et par les
auteurs eux-mêmes, ils sont également dépourvus de
règles fixes.

Une action simple ne comporte guère qu'une seule

péripétie : l'amputation du bras dans *En mer*, la mort du fils dans *La Mère Sauvage*. En regard, *La Petite Roque* détaille la minutieuse enquête conduisant au coupable et *Yvette* les étapes de la prise de conscience d'une jeune fille naïve.

Quant aux personnages, s'ils sont peu nombreux, ils représentent aussi des « types » psychologiques et sociaux peu individualisés. La prostituée de *L'Odyssée d'une fille* raconte comment des hommes l'ont successivement pervertie, et celle du *Lit 29* revendique ses états de service contre les Prussiens. En regard, *Boule de Suif* partage ses provisions, exprime des idées, refuse de céder à l'officier, se rend aux arguments de ses compagnons de route, puis souffre en silence de leur mépris — et de la faim.

2. *Plus ou moins loin de la réalité*

L'origine orale du conte confère, par tradition, plus de spontanéité à la narration, notamment de la gaieté, de la malice, de la truculence, dans l'esprit des *Contes et nouvelles* de La Fontaine ou des *Contes drolatiques* de Balzac. Au contraire, la nouvelle adopte souvent une tonalité plus sérieuse, plutôt romanesque ou dramatique, et s'ouvre parfois au débat d'idées, dans l'esprit des *Contes cruels* de Villiers de L'Isle-Adam (1883) ou des contes fantastiques de notre auteur, dont *Le Horla*. La diversité du genre, de Charles Perrault à Marcel Aymé, incite à rapprocher le conte de la fiction, alors que la nouvelle reste plus ancrée dans la réalité. Mais, chez Maupassant, presque tous les récits, jusque dans l'évocation de la démence, font référence au monde réel. Les fins heureuses y sont rares, et ni le merveilleux ni le fantastique n'apparaissent dans les contes réalistes, si bien que leur dominante ironique les apparente plutôt aux *Contes philosophiques* de Voltaire. Pour conclure, le conte reste proche du fait divers, dont il s'inspire si souvent, et la nouvelle du roman, en plus court et en plus dense.

Conte ou nouvelle, ces récits illustrent surtout la rencontre de deux imaginaires : un fait de société, indissociable d'une époque, d'une culture, et porteur d'une idéologie, et une vision originale, surgie d'une personnalité et renouvelant l'écriture. En 1888, dans *Sur l'eau*, Maupassant explique que l'homme de lettres « analyse malgré tout, malgré lui, sans fin, les cœurs, les visages, les gestes [...]. Il semble avoir deux âmes [...] et il vit condamné à être toujours, en toute occasion, un reflet de lui-même et un reflet des autres ».

2.

Emprunts et reprises

1. *Des emprunts variés à la réalité de son temps*

L'auteur des *Contes et nouvelles* puise surtout son inspiration dans la réalité vécue : souvenirs familiaux, actualité récente, faits divers, faits de société, tout ce qui relève de l'observation, et révèle ses emprunts, justifie ses reprises. Il est tentant, par exemple, de trouver un écho autobiographique aux disputes de ses parents dans cette protestation d'une épouse et mère qu'on lit dans *Garçon, un bock !...* : « Je ne signerai pas. C'est la fortune de Jean, cela. Je la garde pour lui et je ne veux pas que tu la manges encore avec des filles et des servantes, comme tu as fait de ton héritage. » Les références à l'actualité, sauf en ce qui concerne la guerre, restent discrètes. Le titre *Le Gueux* évoque *La Chanson des Gueux*, publiée huit ans plus tôt par Jean Richepin, et annonce *Les Soliloques du pauvre* de Jehan Rictus, voire maintes «complaintes» populaires sur l'extrême pauvreté. Ou bien encore le nom de «Sémillante» donné à la chienne d'*Une vendetta* rappelle à la fois une des *Lettres de mon moulin* de Daudet : *L'Agonie de la Sémillante* et le naufrage d'une frégate, sur les lieux de l'action du conte, qui emmenait six cents soldats se battre en Crimée pour la gloire du Second Empire. *Mon oncle Jules*, enfin, témoigne du mythe de la prospérité américaine qu'atteste l'émigration de vingt millions d'Européens, de 1871 à 1914.

Maupassant s'inspire plus souvent de simples faits divers dont il exploite la charge émotionnelle. Il les sollicite de ses «rabatteurs», reconnaît-il, des correspondants, des amis et jusqu'à sa mère, comme en témoigne cette injonction dans une lettre du 30 octobre 1874 : «Essaie de me trouver des sujets de nouvelles.» Ainsi, *En mer*, publié en février 1883, débute par la reproduction d'une dépêche de presse et s'inspire d'un naufrage relaté un mois plus tôt dans *Gil Blas*. Plusieurs personnages de *La Maison Tellier* ont été identifiés. *La Confession d'une femme* fait référence au «crime du Pecq». *Pierrot* décrit la «marnière» où des chiens abandonnés étaient jetés vivants. *Une soirée* s'amuse d'un notaire qui s'était égaré chez des «rapins» : de jeunes peintres turbulents.

C'est toutefois de faits de société que s'inspire le plus souvent l'auteur des *Contes et nouvelles*. L'attente d'un legs est exploitée dans *L'Héritage, Un million, Le Testament*; l'alcoolisme dans *Le Rosier de madame Husson, Toine, Monsieur Parent, L'Ivrogne, Le Voleur*; la débauche et l'homosexualité dans *Une partie de campagne, La Femme de Paul, L'Aveu, La Baronne, Allouma*; le meurtre dans

L'Assassin, Le Parricide, L'Ordonnance, Le Garde, Châli; le suicide dans *Le Père Amable, Yvette, Promenade, Le Petit, Un lâche*; le viol ou l'inceste dans *La Petite Roque, Madame Baptiste, Rose, Port, L'Ermite*.

2. *Des reprises littéraires*

Ces emprunts se muent en reprises quand ils touchent à ce que l'on nomme l'intertextualité : le fait que des auteurs différents s'influencent réciproquement, puis expriment une même vision. Le « bonnet grec » du pharmacien Chouquet dans *La Rempailleuse* n'est pas anecdotique. Il fait référence à cette même coiffure portée par le pharmacien Homais dans *Madame Bovary*, mais en vue de rapprocher deux comportements « bourgeois » : leur désir commun de « jeter en prison » une « gueuse » éprise d'un commerçant, chez l'un, un vagabond aveugle et inoffensif, chez l'autre. Le thème de la prostitution est un thème récurrent chez Maupassant (*Boule de Suif, Mademoiselle Fifi, Yvette* et *L'Odyssée d'une fille*, notamment). La figure de la prostituée apparaît aussi dans d'autres textes de ses amis : les Goncourt dans *La Fille Élisa* et *Germinie Lacerteux*, Huysmans avec *Marthe* et Zola avec *L'Assommoir* et *Nana*. Tous ces écrivains dénoncent ainsi l'apparition d'un nouveau « fléau social », né de la révolution industrielle et de la constitution des « faubourgs ». Quant au prêtre meurtrier du *Saut du Berger*, il exprime le même dégoût de l'être humain et de la relation amoureuse que l'abbé Marignan de *Clair de lune*, l'abbé Tolbiac d'*Une vie*, le narrateur de *L'Inutile Beauté*, et cet autre « fou de Dieu », le frère Archangias longuement mis en scène par Zola dans *La Faute de l'abbé Mouret*.

3.

Particularités de la narration

1. *Le choix du narrateur*

Au sein d'un conte ou d'une nouvelle, la narration est presque toujours confiée à un personnage fictif. Le narrateur est soit « effacé », en étant étranger à l'action, soit « impliqué » en y participant. Dans *Le Gueux, La Ficelle, Le Petit Fût, Une vendetta,* le récit est produit à la troisième personne, sans aucune information sur la voix qui s'exprime. En revanche, si dans *La Mère Sauvage, La Rempailleuse,* le lecteur n'en apprend guère plus sur l'ami et le médecin qui prennent la parole, dans *Histoire vraie,* le narrateur est un personnage qui relate un épisode de sa vie, comme le montrent ces deux phrases du début du texte : « C'est moi qui ai eu jadis une drôle d'histoire avec une fillette comme ça. Tenez, il faut que je vous la raconte. » La narration peut aussi être prise en charge par différents personnages. Par exemple dans *Garçon, un bock !...,* quatre personnes s'expriment successivement : un narrateur effacé, le personnage principal et les deux parents dans un échange de répliques, assez rare dans un conte.

L'intervenant, en outre, s'autorise volontiers à s'exprimer dans le récit, le plus souvent pour ajouter, à la narration proprement dite, un commentaire ou une appréciation personnelle. On lit dans *La Ficelle* : « Il rentra chez lui, honteux et indigné, étranglé par la colère, par la confusion, d'autant plus atterré qu'il était capable, avec sa finauderie de Normand, de faire ce dont on l'accusait, et même de s'en vanter comme d'un bon tour. »

Parfois l'ambiguïté s'installe. Le pronom « il » du narrateur semble plutôt désigner l'auteur, soucieux d'exprimer une opinion qui lui tient à cœur — particulièrement quand il est engagé dans un débat d'idées, comme le sont les écrivains naturalistes. Le propos devient alors polémique, comme dans ce passage de *La Mère Sauvage* : « Elle les aimait bien, d'ailleurs, ses quatre ennemis ; car les paysans n'ont guère les haines patriotiques ; cela n'appartient qu'aux classes supérieures. Les humbles, ceux qui paient le plus parce qu'ils sont pauvres et que toute charge nouvelle les accable, ceux qu'on tue par masses, qui forment la vraie chair à canon [...] ne comprennent guère ces ardeurs belliqueuses, ce point d'honneur excitable et ces prétendues combinaisons politiques. » Parfois encore l'ambiguïté s'impose. Maupassant relate dans *Allouma*, daté de 1889, une histoire d'amour entre une Algérienne et un Français. L'auteur s'y exprime à la première personne, sans l'intermédiaire d'aucun narrateur, et au retour d'un second voyage dans le Maghreb. Or, à quelques lignes d'intervalle figurent ces deux confidences, qui contredisent évidemment les généreuses dénonciations antérieures des appétits personnels et des préjugés sociaux :

« Puisque cette fille avait été jetée dans mes bras, je la garderais, j'en ferais une sorte de maîtresse esclave, cachée dans le fond de ma maison, à la façon des femmes des harems. Le jour où elle ne me plairait plus, il serait toujours facile de m'en défaire d'une façon quelconque, car ces créatures-là, sur le sol africain, nous appartenaient presque corps et âme. »

« Ces hommes en qui l'islamisme s'est incarné jusqu'à faire partie d'eux, jusqu'à modeler leurs instincts, jusqu'à modifier la race entière et à la différencier des autres au moral autant que la couleur de la peau différencie le nègre du blanc, sont menteurs dans les moelles au point que jamais on ne peut se fier à leurs dires. »

Quant aux récits eux-mêmes, certains sont « clos », car l'histoire est achevée, souvent à la suite de la mort du protagoniste, ou personnage principal : *Le Gueux, La Ficelle, La Rempailleuse…* , et d'autres sont « ouverts », car l'histoire pourrait se prolonger et le lecteur la poursuivre à l'envi : *En mer, Le Papa de Simon, Mon oncle Jules…*

2. *Ouverture et clôture*

L'habileté de Maupassant dans un conte ressemble à celle d'un poète dans un sonnet : il maîtrise la concision. Dès l'ouverture ou *incipit*, il cite des faits, apparemment anodins, qui annoncent les enjeux dramatiques ou la progression narrative. Ainsi, on lit, dans *Une vendetta*, que la mère « s'enferma auprès du corps avec la chienne qui hurlait ». Et le narrateur souligne alors la douleur de Sémillante : « Elle hurlait, cette chienne, d'une façon continue, debout au pied du lit, la tête tendue vers son maître… » Dans *Histoire vraie*, le cynisme de la transaction est introduit par une évocation des personnes : « C'étaient de ces demi-seigneurs normands, mi-hobereaux, mi-paysans […]. Ils parlaient comme on hurle, riaient comme rugissent les fauves et buvaient comme des citernes […]. »

En regard, le conteur a soin de formuler des chutes, souvent ironiques, destinées à donner du sens à la clôture. La plus courte termine *Le Gueux* : « Quelle surprise ! » Elle discrédite en deux mots l'insensibilité du village et l'imprévoyance de la gendarmerie. Dans *Histoire vraie*, le commentaire final d'un personnage fait apparaître l'inconséquence de ceux qui, tout à la fois, pervertissent les filles et dénoncent leur comportement : « des femmes comme ça, il n'en faut pas ». La clôture de

En mer est encore plus intéressante car elle exprime la relative complaisance de la victime elle-même pour l'idéologie dominante, et se borne à prendre acte de deux faits, sans émotion ni indignation : « Si mon frère avait voulu couper le chalut, j'aurais encore mon bras, pour sûr. Mais il était regardant à son bien. »

4.

Effet de réel et sens symbolique

Dans la préface à *Pierre et Jean*, Maupassant reconnaît volontiers qu'il s'agit moins de vérité que de restitution : « Faire vrai consiste à donner l'illusion complète du vrai » ; « Le réaliste, s'il est un artiste, cherchera, non pas à montrer la photographie banale de la vie, mais à nous en donner la vision la plus complète, plus saisissante, plus probante que la réalité elle-même. » Cette intention, essentiellement naturaliste, s'exprime surtout dans « l'effet de réel » qui consiste à donner, à voir, à entendre, à ressentir, en attribuant un pouvoir de suggestion aux mots et aux faits. Maupassant joue donc avec le langage, parsemant ses récits d'expressions propres au parler paysan : « L'aut'e soir je crûmes que j'allais passer » (*Le Petit Fût*) ou de comparaisons inventives : « ma mère, pavoisée comme un navire un jour de fête » (*Mon oncle Jules*). La primauté de la sensation est donnée à voir, comme dans ce passage du *Gueux* : « C'était un de ces jours froids et tristes où les cœurs se serrent, où les esprits s'irritent, où l'âme est sombre, où la main ne s'ouvre ni pour donner ni pour secourir. » Les descriptions sont comparables à des croquis pris sur le vif, qui situent l'action dans un cadre : « Les mâles allaient, à pas tranquilles, tout le corps en avant à chaque mouvement de leurs longues jambes torses, déformées par les rudes travaux, par la pesée sur la charrue qui fait en même temps monter l'épaule gauche et dévier la taille, par le fauchage des blés qui fait écarter les genoux pour prendre un aplomb solide, par toutes les besognes lentes et pénibles de la campagne » (*La Ficelle*).

En regard, Maupassant insère de petits faits que rapproche l'œil exercé, et qui donne un sens implicite au récit. Parce que ses proches lui ont refusé d'épouser une jeune femme noire, Boitelle est devenu un « ordureux », ayant « dans tout le pays la spécialité des besognes malpropres ». Et lorsque le « gueux » envisage de voler une poule pour ne pas mourir de faim, il les voit, faisant de même : « À tout instant elles piquaient d'un coup de bec un grain ou un insecte invisible, puis continuaient leur recherche lente et sûre. » Cet autre pouvoir suggestif s'exprime particulièrement dans *Le Saut du Berger* lorsqu'on examine les différentes images utilisées pour décrire le refuge des amoureux. C'est tout d'abord une « cabane en bois », une « sorte de niche perchée sur des roues » ; puis il devient « une légère demeure », quand il est encore un abri provisoire, « une maison déracinée » quand le prêtre détruit le couple, un « coffre de bois » évoquant un cercueil, et enfin un « œuf » qui se brise, la promesse que les amants s'étaient peut-être faite.

5.

Diversité des milieux, des sentiments et des tonalités

1. *Des personnages de tous milieux sociaux*

Comme Balzac, Hugo et Zola, Maupassant a choisi ses personnages issus de tous les milieux socioprofessionnels.

Peu représentés, il est vrai, faute d'avoir été fréquentés, les ouvriers et les artisans ne sont pourtant pas absents : le papa de Simon est un forgeron et l'amoureuse du pharmacien une rempailleuse. Les paysans et les pêcheurs sont de loin les plus nombreux, ainsi que les commerçants et les employés de bureau que rapproche leur niveau de vie. L'auteur introduit cependant une hiérarchie significative entre un « père Milon » et un « maître Hauchecorne », métayers ou fermiers cultivant les terres d'un propriétaire, et monsieur de Varnetot, un « hobereau » qui exploite celles qu'il possède. Le lecteur d'aujourd'hui découvre aussi que le pharmacien Chouquet et les employés de ministère sont assez riches pour disposer d'une servante à temps plein (mais pas les proches de l'oncle Jules, qui a dilapidé l'héritage familial). Le grand monde est également évoqué, de la baronne d'Avary, chez qui dort le « gueux », aux parents du comte de Barrets, devenu « bockeur », mais aussi dans *Boule de Suif, L'Inutile Beauté, Au bord du lit,* sans oublier les officiers dans *Le Lit 29, L'Aventure de Walter Schmaffs, Mademoiselle Fifi, Le Bonheur, Madame Parisse.* Maupassant évoque encore les minorités vivant à la marge (le prêtre et l'artiste, la prostituée et le criminel), voire un monde nouveau apparu sous le Second Empire, à mi-chemin entre le grand monde et les bas-fonds. On lit dans *Yvette* : « J'aime ce monde de fli-bustiers à décorations variées, tous étrangers, tous nobles, tous titrés […]. Tous parlent de l'honneur à propos de bottes, citent leurs ancêtres à propos de rien, racontent leur vie à propos de tout, hâbleurs, menteurs, filous, dangereux comme leurs cartes, trompeurs comme leurs noms […]. C'est l'aristocratie du bagne, enfin. »

2. *Variations autour des sentiments et des tonalités*

Tous les sentiments sont mis en scène, de l'amour de la rempailleuse à la haine de la mère Sauvage, de la compassion du forgeron au cynisme des commerçants, de la joie de vivre des « canotiers » à l'ennui des gratte-papier. Chaque émotion s'exprime alors dans une tonalité appropriée, révélant l'état d'esprit du narrateur, ou de l'auteur.

Le chagrin du petit Simon paraît désespéré : « Plein d'orgueil, il essaya pendant quelques secondes de lutter contre les larmes qui l'étranglaient. Il eut une suffocation, puis, sans cris, il se mit à pleurer par grands sanglots qui le secouaient précipitamment », alors que l'espérance du gueux suscite l'interrogation : « Il attendait au coin de cette cour, sous le vent glacé, l'aide mystérieuse qu'on espère toujours du ciel ou des hommes, sans se demander comment, ni pourquoi, ni par qui elle lui pourrait arriver. »

Toutes les tonalités se font entendre ; mais le nouvelliste use rarement de registres exprimant la gaieté, la confiance ou le bonheur, tant sa vision du monde est pessimiste. Si ses personnages semblent mépriser autant les êtres qui les entourent, n'est-ce pas parce qu'ils jugent cruelles la nature humaine et la nature sociale, comme en témoigne cette scène profondément sadique de *La Mère aux monstres* : « Elle estropia dans ses entrailles le petit être étreint par l'affreuse machine ; elle le comprima, le déforma, en fit un monstre. Son crâne pressé s'allongea, jaillit en pointe avec deux gros yeux en dehors, tout sortis du front. »

Conseils de lecture

Dictionnaire des genres et notions littéraires, Encyclopedia Universalis, Albin Michel, Paris, 1997.

Georges JEAN, *Pouvoir des contes*, Casterman, Paris, 1981.

Daniel GROJNOWSKI, *Lire la nouvelle*, Nathan, Paris, 2000.

Gérard GENETTE, *Figures III*, Seuil, Paris, 1972.

Claude BREMOND, *Logique du récit*, Seuil, Paris, 1973.

Vladimir PROPP, *Morphologie du conte*, Seuil, Paris, 1965.

Micheline BESNARD-COURSAUDON, *Étude thématique et structurale de l'œuvre de Maupassant : le piège*, Nizet, Paris, 1973.

Alberto SAVINIO, *Maupassant et l'Autre*, Gallimard, Paris, 1967.

« La langue et le style de Maupassant », in *Le Français moderne*, avril-juin 1941.

Groupement de textes thématique

Les malchanceux

EN DÉPIT DE SON PESSIMISME, Maupassant laisse fréquemment apparaître la compassion qu'il éprouve pour les plus humbles, les plus faibles, les plus pauvres, ceux qui n'ont guère de chance de prendre plaisir à vivre, comme l'expriment ces lignes du *Père Amable* : « Le vieux ne travaillait plus. Triste comme tous les sourds, perclus de douleurs, courbé, tortu, il s'en allait par les champs, appuyé sur son bâton, en regardant les bêtes et les hommes, d'un œil dur et méfiant. [...] Et, travaillés par les rhumatismes, ses vieux membres buvaient encore l'humidité du sol, comme ils avaient bu depuis soixante-dix ans la vapeur des murs de sa chaumière basse, coiffée aussi de paille humide. »

Les malchanceux, toutefois, retiennent plus souvent son attention car ils auraient pu réussir s'ils n'avaient pas été victimes d'un destin. Cette infortune est parfois due au hasard : parce qu'elle a dû remplacer une parure en diamants, empruntée mais perdue un soir de bal, Mathilde Loisel est dépouillée de son rang, perd sa jeunesse et sa beauté. Elle n'a pourtant jamais démérité — contrairement à « l'oncle Jules » qui a dilapidé l'héritage familial, à ceux qui pervertissent, à celles qui se vengent.

Guy de MAUPASSANT (1850-1893)

La Parure

Contes du jour et de la nuit (1884)
(Folio classique n°1558)

Mme Loisel connut la vie horrible des nécessiteux. Elle prit son parti, d'ailleurs, tout d'un coup, héroïquement. Il fallait payer cette dette effroyable. Elle payerait. On renvoya la bonne ; on changea de logement ; on loua sous les toits une mansarde.

Elle connut les gros travaux du ménage, les odieuses besognes de la cuisine. Elle lava la vaisselle, usant ses ongles roses sur les poteries grasses et le fond des casseroles. Elle savonna le linge sale, les chemises et les torchons, qu'elle faisait sécher sur une corde ; elle descendit à la rue, chaque matin, les ordures, et monta l'eau, s'arrêtant à chaque étage pour souffler. Et, vêtue comme une femme du peuple, elle alla chez le fruitier, chez l'épicier, chez le boucher, le panier au bras, marchandant, injuriée, défendant sou à sou son misérable argent.

Il fallait chaque mois payer des billets, en renouveler d'autres, obtenir du temps.

Le mari travaillait, le soir, à mettre au net les comptes d'un commerçant, et la nuit, souvent, il faisait de la copie à cinq sous la page.

Et cette vie dura dix ans.

Au bout de dix ans, ils avaient tout restitué, tout, avec le taux de l'usure, et l'accumulation des intérêts superposés.

Mme Loisel semblait vieille, maintenant. Elle était devenue la femme forte, et dure, et rude, des ménages pauvres. Mal peignée, avec les jupes de travers et les mains rouges, elle parlait haut, lavait à grande eau les planchers. Mais parfois, lorsque son mari était au bureau, elle s'asseyait auprès de la fenêtre, et elle son-

geait à cette soirée d'autrefois, à ce bal où elle avait été
si belle et si fêtée.

Que serait-il arrivé si elle n'avait point perdu cette
parure? Qui sait? qui sait? Comme la vie est singulière,
changeante! Comme il faut peu de chose pour vous
perdre ou vous sauver!

*

Or, un dimanche, comme elle était allée faire un tour
aux Champs-Élysées pour se délasser des besognes de
la semaine, elle aperçut tout à coup une femme qui
promenait un enfant. C'était Mme Forestier, toujours
jeune, toujours belle, toujours séduisante. Mme Loisel
se sentit émue. Allait-elle lui parler? Oui, certes. Et
maintenant qu'elle avait payé, elle lui dirait tout. Pourquoi pas?

Elle s'approcha.

« Bonjour, Jeanne »

L'autre ne la reconnaissait point, s'étonnant d'être
appelée ainsi familièrement par cette bourgeoise[1]. Elle
balbutia :

« Mais… madame !… Je ne sais… Vous devez vous
tromper.

— Non. Je suis Mathilde Loisel. »

Son amie poussa un cri.

— Oh !… ma pauvre Mathilde, comme tu es chan-
gée !…

— Oui, j'ai eu des jours bien durs, depuis que je ne
t'ai vue; et bien des misères… et cela à cause de toi !…

— De moi… Comment ça?

— Tu te rappelles bien cette rivière de diamants[2] que
tu m'as prêtée pour aller à la fête du ministère.

— Oui. Eh bien?

— Eh bien, je l'ai perdue.

— Comment ! puisque tu me l'as rapportée.

---

1. Mais de rang social inférieur.
2. Long collier.

— Je t'en ai rapporté une autre toute pareille. Et voilà dix ans que nous la payons. Tu comprends que ça n'a pas été aisé pour nous, qui n'avions rien… Enfin c'est fini, et je suis rudement contente.

Mme Forestier s'était arrêtée.

— Tu dis que tu as acheté une rivière de diamants pour remplacer la mienne?

— Oui. Tu ne t'en étais pas aperçue, hein? Elles étaient bien pareilles.

Et elle souriait d'une joie orgueilleuse et naïve.

Mme Forestier, fort émue, lui prit les deux mains.

— Oh! ma pauvre Mathilde! Mais la mienne était fausse. Elle valait au plus cinq cents francs!… »

Guy de MAUPASSANT (1850-1893)

Coco

Contes du jour et de la nuit (1884)
(Folio classique n° 1558)

En revanche, la plupart des malchanceux sont victimes du « déterminisme social » que se plaisent à dénoncer les écrivains naturalistes.

Le vieux cheval Coco est en proie à la cruauté d'un garnement que la société a rendu aussi insensible que le pêcheur Javel de « En mer » qui choisit de garder son chalut au prix du bras de son frère. Il ne s'agit donc pas d'un fait individuel, mais d'une réalité assez générale.

Lorsque revint l'été, il lui fallut aller *remuer* la bête dans sa côte. C'était loin. Le goujat[1], plus furieux chaque matin, partait de son pas lourd à travers les blés. Les hommes qui travaillaient dans les terres lui criaient, par plaisanterie :

« Hé Zidore, tu f'ras mes compliments à Coco. »

Il ne répondait point; mais il cassait, en passant, une

---

1. Valet de ferme.

baguette dans une haie et, dès qu'il avait déplacé l'attache du vieux cheval, il le laissait se remettre à brouter ; puis, approchant traîtreusement, il lui cinglait les jarrets. L'animal essayait de fuir, de ruer, d'échapper aux coups, et il tournait au bout de sa corde comme s'il eût été enfermé dans une piste. Et le gars le frappait avec rage, courant derrière, acharné, les dents serrées par la colère.

Puis il s'en allait lentement, sans se retourner, tandis que le cheval le regardait partir de son œil de vieux, les côtes saillantes, essoufflé d'avoir trotté. Et il ne rebaissait vers l'herbe sa tête osseuse et blanche qu'après avoir vu disparaître au loin la blouse bleue du jeune paysan.

Comme les nuits étaient chaudes, on laissait maintenant Coco coucher dehors, là-bas, au bord de la ravine, derrière le bois. Zidore seul allait le voir.

L'enfant s'amusait encore à lui jeter des pierres. Il s'asseyait à dix pas de lui, sur un talus, et il restait là une demi-heure, lançant de temps en temps un caillou tranchant au bidet, qui demeurait debout, enchaîné devant son ennemi, et le regardant sans cesse, sans oser paître avant qu'il fût reparti.

Mais toujours cette pensée restait plantée dans l'esprit du goujat : « Pourquoi nourrir ce cheval qui ne faisait plus rien ? » Il lui semblait que cette misérable rosse volait le manger des autres, volait l'avoir des hommes, le bien du bon Dieu, le volait même aussi, lui, Zidore qui travaillait.

Alors, peu à peu, chaque jour, le gars diminua la bande de pâturage qu'il lui donnait en avançant le piquet de bois où était fixée la corde.

La bête jeûnait, maigrissait, dépérissait. Trop faible pour casser son attache, elle tendait la tête vers la grande herbe verte et luisante, si proche, et dont l'odeur lui venait sans qu'elle y pût toucher.

Mais, un matin, Zidore eut une idée : c'était de ne plus remuer Coco. Il en avait assez d'aller si loin pour cette carcasse.

Il vint cependant, pour savourer sa vengeance. La bête inquiète le regardait. Il ne la battit pas ce jour-là. Il tournait autour, les mains dans les poches. Même il fit mine de la changer de place, mais il renfonça le piquet juste dans le même trou, et il s'en alla, enchanté de son invention.

Le cheval, le voyant partir, hennit pour le rappeler, mais le goujat se mit à courir, le laissant seul, tout seul dans son son vallon, bien attaché, et sans un brin d'herbe à portée de la mâchoire.

Affamé, il essaya d'atteindre la grasse verdure qu'il touchait du bout de ses naseaux [1]. Il se mit sur les genoux, tendant le cou, allongeant ses grandes lèvres baveuses. Ce fut en vain. Tout le jour, elle s'épuisa, la vieille bête, en efforts inutiles, en efforts terribles. La faim la dévorait, rendue plus affreuse par la vue de toute la verte nourriture qui s'étendait par l'horizon.

Le goujat ne revint point ce jour-là. Il vagabonda par les bois pour chercher des nids.

Il reparut le lendemain. Coco, exténué, s'était couché. Il se leva en apercevant l'enfant, attendant enfin d'être changé de place.

Mais le petit paysan ne toucha même pas au maillet jeté dans l'herbe. Il s'approcha, regarda l'animal, lui lança dans le nez une motte de terre qui s'écrasa sur le poil blanc, et il repartit en sifflant.

Le cheval resta debout tant qu'il put l'apercevoir encore ; puis, sentant bien que ses tentatives pour atteindre l'herbe voisine seraient inutiles, il s'étendit de nouveau sur le flanc et ferma les yeux.

Le lendemain, Zidore ne vint pas.

Quand il approcha, le jour suivant, de Coco toujours étendu, il s'aperçut qu'il était mort.

---

1. Narines des mammifères.

Guy de MAUPASSANT (1850-1893)

Aux champs

Contes de la bécasse (1882)
(Folio classique n° 3241)

Charles Tuvache n'a pas été adopté par des gens fortunés, car ses parents ont refusé de le vendre, contrairement à ceux de son petit voisin Jean Vallin. Mais sa jalousie et son ingratitude éclatent quand il se compare au jeune monsieur, avec une chaîne de montre en or qu'il retrouve transformé, image de son rêve envolé ! De même, la haine des Prussiens ne vient à la mère Sauvage qu'en apprenant la mort de son fils à la guerre. On ne naît donc pas méchant, jaloux, ou rancunier : on le devient sous l'influence d'événements imprévus ou des idées dominantes.

On n'entendit plus du tout parler du petit Jean Vallin. Les parents, chaque mois, allaient toucher leurs cent vingt francs chez le notaire ; et ils étaient fâchés avec leurs voisins parce que la mère Tuvache les agonisait d'ignominies, répétant sans cesse de porte en porte qu'il fallait être dénaturé pour vendre son enfant, que c'était une horreur, une saleté, une corromperie.

Et parfois elle prenait en ses bras son Charlot avec ostentation, lui criant, comme s'il eût compris :

« J't'ai pas vendu, mé, j't'ai pas vendu, mon p'tiot. J'vends pas m's éfants, mé. J'sieus pas riche, mais vends pas m's éfants. »

Et, pendant des années et encore des années, ce fut ainsi chaque jour ; chaque jour des allusions grossières étaient vociférées devant la porte, de façon à entrer dans la maison voisine. La mère Tuvache avait fini par se croire supérieure à toute la contrée parce qu'elle n'avait pas vendu Charlot. Et ceux qui parlaient d'elle disaient :

« J'sais ben que c'était engageant, c'est égal, elle s'a conduite comme une bonne mère. »

On la citait ; et Charlot, qui prenait dix-huit ans, élevé dans cette idée qu'on lui répétait sans répit, se jugeait lui-même supérieur à ses camarades, parce qu'on ne l'avait pas vendu.

Les Vallin vivotaient à leur aise, grâce à la pension. La fureur inapaisable des Tuvache, restés misérables, venait de là.

Leur fils aîné partit au service. Le second mourut ; Charlot resta seul à peiner avec le vieux père pour nourrir la mère et deux autres sœurs cadettes qu'il avait.

Il prenait vingt et un ans, quand, un matin, une brillante voiture s'arrêta devant les deux chaumières. Un jeune monsieur, avec une chaîne de montre en or, descendit, donnant la main à une vieille dame en cheveux blancs. La vieille dame lui dit :

« C'est là, mon enfant, à la seconde maison. »

Et il entra comme chez lui dans la masure des Vallin. La vieille mère lavait ses tabliers ; le père, infirme, sommeillait près de l'âtre. Tous deux levèrent la tête, et le jeune homme dit :

« Bonjour, papa ; bonjour, maman. »

Ils se dressèrent, effarés. La paysanne laissa tomber d'émoi son savon dans son eau et balbutia :

« C'est-i té, m'n éfant ? C'est-i té, m'n éfant ? »

Il la prit dans ses bras et l'embrassa, en répétant : « Bonjour, maman ». Tandis que le vieux, tout tremblant, disait, de son ton calme qu'il ne perdait jamais : « Te v'là-t'i revenu, Jean ? » Comme s'il l'avait vu un mois auparavant.

Et, quand ils se furent reconnus, les parents voulurent tout de suite sortir le fieu dans le pays pour le montrer. On le conduisit chez le maire, chez l'adjoint, chez le curé, chez l'instituteur.

Charlot, debout sur le seuil de sa chaumière, le regardait passer.

Le soir, au souper, il dit aux vieux :

« Faut-i qu'vous ayez été sots pour laisser prendre le p'tit aux Vallin ! »

Sa mère répondit obstinément :

«J'voulions point vendre not'éfant!»

Le père ne disait rien.

Le fils reprit :

«C'est-i pas malheureux d'être sacrifié comme ça!»

Alors le père Tuvache articula d'un ton coléreux :

«Vas-tu pas nous r'procher d't'avoir gardé?»

Et le jeune homme, brutalement :

«Oui, j'vous le r'proche, que vous n'êtes que des niants[1]. Des parents comme vous, ça fait l'malheur des éfants. Qu'vous mériteriez que j'vous quitte.»

La bonne femme pleurait dans son assiette. Elle gémit tout en avalant des cuillerées de soupe dont elle répandait la moitié :

«Tuez-vous donc pour élever d's éfants!»

Alors le gars, rudement :

«J'aimerais mieux n'être point né que d'être c'que j'suis. Quand j'ai vu l'autre, tantôt, mon sang n'a fait qu'un tour. Je m'suis dit : v'là c'que j'serais maintenant!»

Il se leva.

«Tenez, j'sens bien que je ferai mieux de n'pas rester ici, parce que j'vous le reprocherais du matin au soir, et que j'vous ferais une vie d'misère. Ça, voyez-vous, j'vous l'pardonnerai jamais!»

Les deux vieux se taisaient, atterrés, larmoyants.

Il reprit :

«Non, c't'idée-là, ce serait trop dur. J'aime mieux m'en aller chercher ma vie aut'part!»

Il ouvrit la porte. Un bruit de voix entra. Les Vallin festoyaient avec l'enfant revenu.

Alors Charlot tapa du pied et, se tournant vers ses parents, cria :

«Manants[2], va!»

Et il disparut dans la nuit.

---

1. Des niais (à l'origine, des «nidais», comme l'oisillon encore au «nid»).

2. Paysans pauvres, puis, par dérision, des moins-que-rien.

Guy de MAUPASSANT (1850-1893)

Boitelle

La Main gauche (1889)
(Folio classique n°1889)

Antoine Boitelle a rencontré une jeune femme qu'il aime, qui l'aime et qui ferait une bonne épouse de fermier. Mais il ne réussit pas à obtenir l'accord de ses parents, ni l'adhésion du village au seul prétexte que...

La connaissance était faite. On causa.

À peine arrivés, quand tout le monde fut descendu, après qu'il eut conduit sa bonne amie dans la chambre pour ôter sa robe qu'elle aurait pu tacher en faisant un bon plat de sa façon destiné à prendre les vieux par le ventre, il attira ses parents devant la porte, et demanda, le cœur battant :

« Eh ben, quéque vous dites ? »

Le père se tut. La mère plus hardie déclara :

« Alle est trop noire ! Non, vrai, c'est trop. J'en ai eu les sangs tournés.

— Vous vous y ferez, dit Antoine.

— Possible, mais pas pour le moment. » Ils entrèrent et la bonne femme fut émue en voyant la négresse cuisiner. Alors elle l'aida, la jupe retroussée, active malgré son âge.

Le repas fut bon, fut long, fut gai. Quand on fit un tour ensuite, Antoine prit son père à part :

« Eh ben, pé, quéque t'en dis ? »

Le paysan ne se compromettait jamais.

« J'ai point d'avis. D'mande à ta mé. »

Alors Antoine rejoignit sa mère et la retenant en arrière :

« Eh ben, ma mé, quéque t'en dis ?

— Mon pauv'e gars, vrai, alle est trop noire. Seulement un p'tieu moins je ne m'opposerais pas, mais c'est trop. On dirait Satan ! »

Il n'insista point, sachant que la vieille s'obstinait toujours, mais il sentait en son cœur entrer un orage de chagrin. Il cherchait ce qu'il fallait faire, ce qu'il pourrait inventer, surpris d'ailleurs qu'elle ne les eût pas conquis déjà comme elle l'avait séduit lui-même. Et ils allaient tous les quatre à pas lents à travers les blés, redevenus peu à peu silencieux. Quand on longeait une clôture, les fermiers apparaissaient à la barrière, les gamins grimpaient sur les talus, tout le monde se précipitait au chemin pour voir passer la « noire » que le fils Boitelle avait ramenée. On apercevait au loin des gens qui couraient à travers les champs comme on accourt quand bat le tambour des annonces de phénomènes vivants [1]. Le père et la mère Boitelle effarés de cette curiosité semée par la campagne à leur approche, hâtaient le pas, côte à côte, précédant de loin leur fils à qui sa compagne demandait ce que les parents pensaient d'elle.

Il répondit en hésitant qu'ils n'étaient pas encore décidés.

Mais sur la place du village ce fut une sortie en masse de toutes les maisons en émoi, et devant l'attroupement grossissant, les vieux Boitelle prirent la fuite et regagnèrent leur logis, tandis qu'Antoine soulevé de colère, sa bonne amie au bras, s'avançait avec majesté sous les yeux élargis par l'ébahissement.

Il comprenait que c'était fini, qu'il n'y avait plus d'espoir, qu'il n'épouserait pas sa négresse ; elle aussi le comprenait ; et ils se mirent à pleurer tous les deux en approchant de la ferme. Dès qu'ils y furent revenus, elle ôta de nouveau sa robe pour aider la mère à faire sa besogne ; elle la suivit partout, à la laiterie, à l'étable, au poulailler, prenant la plus grosse part, répétant sans cesse : « Laissez-moi faire, madame Boitelle », si bien que le soir venu, la vieille, touchée et inexorable, dit à son fils :

« C'est une brave fille tout de même. C'est dommage

---

1. Personnages de foire, souvent difformes.

qu'elle soit si noire, mais vrai, alle l'est trop. J'pourrais pas m'y faire, faut qu'alle r'tourne, alle est trop noire. »

Et le fils Boitelle dit à sa bonne amie :

« Alle n'veut point, alle te trouve trop noire. Faut r'tourner. Je t'aconduirai jusqu'au chemin de fer. N'importe, t'éluge[1] point. J'vas leur y parler quand tu seras partie. »

Il la conduisit donc à la gare en lui donnant encore espoir et après l'avoir embrassée, la fit monter dans le convoi qu'il regarda s'éloigner avec des yeux bouffis par les pleurs.

Il eut beau implorer les vieux, ils ne consentirent jamais.

Et quand il avait conté cette histoire que tout le pays connaissait, Antoine Boitelle ajoutait toujours : « À partir de ça, j'ai eu de cœur à rien, à rien. Aucun métier ne m'allait pu, et j'sieus devenu ce que j'sieus, un ordureux[2]. »

---

1. Ne t'attriste pas.

2. Premières lignes du conte. *Le père Boitelle* [Antoine] *avait dans tout le pays la spécialité des besognes malpropres. Toutes les fois qu'on avait à faire nettoyer une fosse, un fumier, un puisard, c'était lui qu'on allait chercher.*

Groupement de textes stylistique

L'ironie, registre et procédé

COMME TOUT BON CONTEUR, Maupassant use de toutes les tonalités ; mais l'esprit naturaliste le conduit à peindre l'être humain et social tel qu'il lui apparaît, voire d'expliquer comment il en est venu là. Pour railler, pour critiquer, pour remettre en question, et parfois au prix du cynisme, Maupassant et les conteurs de tous les temps recourent souvent à l'ironie, le registre préféré des moralistes et des polémistes.

Éliminons d'emblée une confusion répandue. Déclarer qu'elle consiste à dire le contraire de ce qu'on pense, et s'en contenter, revient à la réduire à l'antiphrase. C'est en effet l'un des procédés qu'elle utilise, mais au même titre que l'outrance, le sous-entendu, les rapprochements, la démystification, etc. Pour l'essentiel, l'ironie consiste à feindre l'ignorance, soit en questionnant habilement, soit en exprimant une opinion déconcertante. En s'efforçant d'« accoucher » les esprits, comme sa mère, une sage-femme, accouchait les corps, Socrate fonde la « maïeutique », une pédagogie fondée sur le questionnement en vue de rendre l'apprenant acteur de ses apprentissages.

En exprimant une opinion inattendue, souvent paradoxale, l'argumentateur déconcerte son interlocuteur et l'amène à réagir, donc à s'impliquer, le plus souvent au prix d'une remise en question de ses propres idées.

Si on avance, par exemple, que le savant est un ignorant qui a quelques lacunes, on exprime bien ce qu'on pense, mais on surprend en rapprochant le savant de l'ignorant, puis en prêtant au mot « lacunes » un sens réservé au savoir. Ainsi est révélée, sans moralisme ni pédanterie, la place occupée par une goutte de science au sein d'une mer d'ignorance.

Les linguistes apprécient particulièrement l'ironie qui mêle deux énoncés : ce qui est exprimé clairement, et ce qu'il faut en comprendre pour cesser d'être dupe. L'ironie n'est plus alors une tonalité stylistique, mais devient un procédé rhétorique entrant dans l'argumentation. Elle est ainsi caractérisée par son effet « perlocutoire » : elle incite l'autre à modifier son opinion. Et comme celui qui en use maîtrise la situation, l'ironie est toujours ressentie comme humiliante par ceux qu'elle vise.

1.

Une tonalité moqueuse

L'ironie est d'abord synonyme de raillerie. Tout au plus lui reconnaît-on une pointe de malice. Maupassant raconte ainsi, dans *Farce normande*, comment fut gâchée la nuit de noces d'un riche propriétaire à qui on avait laissé entendre que les braconniers allaient profiter de la situation pour chasser sur ses terres. Il entend des coups de feu, déserte le lit conjugal et, au petit matin : « On le retrouva à deux lieues de la ferme, ficelé des pieds à la tête, à moitié mort de fureur, son fusil tordu, sa culotte à l'envers, avec trois lièvres trépassés autour du cou et une pancarte sur la poitrine : *Qui va à la chasse perd sa place.*» Ce n'est qu'une farce, mais qui fait rire aux dépens d'un bravache.

Michel TOURNIER

Que ma joie demeure

Le Coq de bruyère (1978)
(Folio n° 1229)

Michel Tournier ne procède pas autrement quand il relate les débuts sur scène d'un pianiste de talent, dont un imprésario malin saura tirer le meilleur parti. Il faut dire que la gloire se fait attendre, et qu'on lui propose de se produire dans un cabaret.

Dès le premier soir, il comprit quel terrible piège venait de se refermer sur lui. Le public était tout vibrant et houleux encore du numéro précédent, un tango grotesque exécuté par une femme géante et un nain. L'arrivée sur la scène de Raphaël, serré dans son complet noir trop court, son air compassé et traqué, son visage de séminariste figé par la peur derrière ses grosses lunettes, tout paraissait calculé à dessein pour former une composition hautement comique. Il fut salué par des hurlements de rire. Le malheur voulut que son tabouret fût trop bas. Il fit tourner le siège pour le rehausser, mais dans son trouble il le dévissa complètement et se retrouva devant un public déchaîné avec un tabouret en deux morceaux, semblable à un champignon dont le chapeau aurait été séparé du pied. Remettre le siège en place ne lui aurait sans doute pas demandé plus de quelques secondes dans une situation normale. Mais cinglé par les flashes des photographes, les gestes désajustés par la panique, il eut le malheur supplémentaire de faire tomber ses lunettes sans lesquelles il ne voyait rien. Lorsqu'il entreprit de les retrouver, tâtonnant à quatre pattes sur le plancher, la joie du public fut à son comble. Ensuite, il dut lutter de longues minutes avec les deux morceaux du tabouret avant de pouvoir enfin s'asseoir devant son piano, les mains tremblantes et la mémoire en déroute. Que joua-t-il ce soir-là ? Il n'aurait pu le dire. Chaque fois qu'il touchait son instrument, la houle des rires qui s'était apaisée reprenait de plus belle. Lorsqu'il regagna les coulisses, il était inondé de sueur et éperdu de honte.

Le directeur le serra dans ses bras.

« Cher Bidoche ! s'exclama-t-il, vous avez été admirable, vous m'entendez, ad-mi-rable. Vous êtes la grande révélation de la saison. Vos dons d'improvisation comique sont incomparables. Et quelle présence ! Il suffit que vous paraissiez pour que les gens commencent à rire. Dès que vous plaquez un accord sur votre piano, c'est du délire. D'ailleurs j'avais invité la presse. Je suis sûr du résultat. »

Toutes les circonstances sont réunies : le talent et la naïveté chez l'un, le cynisme et le triomphe chez l'autre. L'art du conteur qui se moque consiste alors à juxtaposer un portrait peu flatteur : « costume noir trop court, visage de séminariste… », et des péripéties risibles : « il le dévissa complètement », « tâtonnant à quatre pattes… », aux félicitations enthousiastes : « la grande révélation de la saison », « vos dons d'improvisation… »

2.

Le registre de la critique

Plus souvent, cependant, l'ironie devient une arme, utilisée pour contester ou récuser. Maupassant, qui n'apprécie guère la religion ni le clergé, confie au père Amable le soin d'en donner une image satirique. C'est un vieux fermier qui refuse que son fils épouse une fille ayant déjà un enfant d'un autre, et que le curé s'efforce de convaincre. « Dans l'esprit du paysan tout l'effort de la religion consistait à desserrer les bourses, à vider les poches des hommes pour emplir le coffre du ciel. C'était une sorte d'immense maison de commerce, dont les curés étaient les commis, commis sournois, rusés, dégourdis comme personne, qui faisaient les affaires du bon Dieu au détriment des campagnards. »

La critique de Voltaire est évidemment plus ample et plus sévère, y compris dans ses propres contes dits « philosophiques ». Il y utilise l'ironie autant pour susciter l'agrément du lecteur que pour fustiger la société de l'Ancien Régime.

VOLTAIRE (1694-1778)

Jeannot et Colin (1778)

Romans et contes
(Folio n° 876)

Plusieurs personnes dignes de foi ont vu Jeannot et Colin à l'école dans la ville d'Issoire en Auvergne, ville fameuse dans tout l'univers par son collège, et par ses chaudrons. Jeannot était fils d'un marchand de mulets très renommé, et Colin devait le jour à un brave laboureur des environs, qui cultivait la terre avec quatre mulets, et qui, après avoir payé la taille, le taillon, les aides et gabelles, le sou pour livre, la capitation et les vingtièmes, ne se trouvait pas puissamment riche au bout de l'année.

Jeannot et Colin étaient fort jolis pour des Auvergnats ; ils s'aimaient beaucoup, et ils avaient ensemble de petites privautés, de petites familiarités, dont on se ressouvient toujours avec agrément quand on se rencontre ensuite dans le monde.

Le temps de leurs études était sur le point de finir, quand un tailleur apporta à Jeannot un habit de velours à trois couleurs, avec une veste de Lyon de fort bon goût ; le tout était accompagné d'une lettre à monsieur de la Jeannotière. Colin admira l'habit, et ne fut point jaloux ; mais Jeannot prit un air de supériorité qui affligea Colin. Dès ce moment Jeannot n'étudia plus, se regarda au miroir et méprisa tout le monde. Quelque temps après un valet de chambre arrive en poste et apporte une seconde lettre à monsieur le marquis de la Jeannotière ; c'était un ordre de monsieur son père de faire venir monsieur son fils à Paris. Jeannot monta en chaise en tendant la main à Colin avec un sourire de protection assez noble. Colin sentit son néant et pleura. Jeannot partit dans toute la pompe de sa gloire.

Les lecteurs qui aiment à s'instruire doivent savoir que monsieur Jeannot le père avait acquis assez rapidement des biens immenses dans les affaires. Vous demandez comment on fait ces grandes fortunes ? C'est parce qu'on est heureux. Monsieur Jeannot était bien fait, sa femme aussi, et elle avait encore de la fraîcheur. Ils allèrent à Paris pour un procès qui les ruinait, lorsque la fortune, qui élève et qui abaisse les hommes à son gré, les présenta à la femme d'un entrepreneur des hôpitaux des armées, homme d'un grand talent, et qui pouvait se vanter d'avoir tué plus de soldats en un an que le canon n'en fait périr en dix. Jeannot plut à madame ; la femme de Jeannot plut à monsieur. Jeannot fut bientôt de part dans l'entreprise ; il entra dans d'autres affaires. Dès qu'on est dans le fil de l'eau, il n'y a qu'à se laisser aller ; on fait sans peine une fortune immense. Les gredins, qui du rivage vous regardent voguer à pleines voiles, ouvrent des yeux étonnés ; ils ne savent comment vous avez pu parvenir ; ils vous envient au hasard, et font contre vous des brochures que vous ne lisez point. C'est ce qui arriva à Jeannot le père, qui fut bientôt monsieur de la Jeannotière, et qui, ayant acheté un marquisat au bout de six mois, retira de l'école monsieur le marquis son fils, pour le mettre à Paris dans le beau monde.

Colin, toujours tendre, écrivit une lettre de compliments à son ancien camarade, et *lui fit ces lignes pour le congratuler*. Le petit marquis ne lui fit point de réponse : Colin en fut malade de douleur.

Le père et la mère donnèrent d'abord un gouverneur au jeune marquis : ce gouverneur, qui était un homme du bel air[1], et qui ne savait rien, ne put rien enseigner à son pupille. Monsieur voulait que son fils apprît le latin, madame ne le voulait pas. Ils prirent pour arbitre un auteur qui était célèbre alors par des ouvrages agréables. Il fut prié à dîner. Le maître de la maison commença par lui dire d'abord : «Monsieur comme vous savez le latin et que vous êtes un homme de la cour… — Moi, Monsieur, du latin ! je n'en sais pas un mot, répondit le bel esprit, et bien m'en a pris : il est clair qu'on parle beaucoup mieux sa langue quand on ne partage pas son application entre elle et des langues étrangères. Voyez toutes nos dames : elles ont l'esprit plus agréable que les hommes ; leurs lettres sont écrites avec cent fois plus de grâce ; elle n'ont sur nous cette supériorité que parce qu'elles ne savent pas le latin. — Eh bien ! n'avais-je pas raison ? dit madame. Je veux que mon fils soit un homme d'esprit, qu'il réussisse dans le monde ; et vous voyez bien que, s'il savait le latin, il serait perdu. Joue-t-on, s'il vous plaît, la comédie et l'opéra en latin ? Plaide-t-on en latin quand on a un procès ? Fait-on l'amour en latin ?» Monsieur, ébloui de ces raisons, passa condamnation, et il fut conclu que le jeune marquis ne perdrait point son temps à connaître Cicéron, Horace, et Virgile.[…]

Madame fut entièrement de l'avis du gouverneur. Le petit marquis était au comble de la joie ; le père était très indécis. «Que faudra-t-il donc apprendre à mon fils ? disait-il. — À être aimable, répondit l'ami que l'on consultait ; et, s'il sait *les moyens de plaire*, il saura tout :

---

1 À la mode, très en vue.

c'est un art qu'il apprendra chez madame sa mère, sans que ni l'un ni l'autre se donnent la moindre peine. »

L'ironie jaillit ici à chaque ligne en exploitant tous les procédés — la juxtaposition : « fort jolis pour des Auvergnats » ; l'antiphrase : « homme d'un grand talent » ; l'hyperbole : « et qui pouvait se vanter d'avoir tué plus de soldats en un an que le canon n'en fait périr en dix » ; l'euphémisme : « ne se trouvait pas puissamment riche » ; le sous-entendu : « Jeannot plut à madame, la femme de Jeannot plut à monsieur » ; la démystification : « joue-t-on, s'il vous plaît, la comédie et l'opéra en latin ? » ; la gaillardise et l'équivoque : « fait-on l'amour en latin ? » peut vouloir dire « faire la cour » ; la chute, enfin : « s'il sait les moyens de plaire, il saura tout. »

3.

Un procédé rhétorique

Tous les enseignants avisés, à l'exemple de Socrate, s'ingénient à mettre les élèves en situation de découvrir par eux-mêmes ce qu'ils ignorent. Dans une nouvelle de Maupassant, intitulée *L'Inutile Beauté*, une épouse humiliée et frustrée, mère à trente ans de sept enfants, prend conscience, sous les sarcasmes d'un mari, de la jalousie dont elle est victime et du piège auquel elle est prise : « À quelle existence m'avez-vous condamnée depuis onze ans, une existence de jument poulinière enfermée dans un haras. Puis, dès que j'étais grosse, vous vous dégoûtiez de moi, vous, et je ne vous voyais plus durant des mois. On m'envoyait à la campagne dans le château de la famille, au vert, au pré, faire mon petit. Et quand je reparaissais, fraîche et belle, indestructible, toujours séduisante et toujours entourée d'hommages, espérant enfin que j'allais vivre un peu comme une jeune femme riche qui appartient au monde, la jalousie vous reprenait [...]. »

Or, déjà au XIIIᵉ siècle, un fabliau du trouvère Bernier, *La Housse partie*[1] relate une habile leçon de morale donnée par un jeune garçon. Un riche marchand devenu veuf négocie le mariage de son fils contre une donation immédiate de tous ses biens. Vieillissant et sans ressources, il devient insupportable à sa belle-fille qui enjoint à son mari de le chasser du logis.

BERNIER (XIIIᵉ siècle)

La Housse partie

Fabliaux
(trad. de Gilbert Rouger, Folio nº 1064)

Le père éprouve un tel chagrin qu'il pense avoir le cœur brisé. Tout faible qu'il est, il se lève et va vers la porte en pleurant. « Fils, je te recommande à Dieu. Puisque tu veux que je m'en aille, au nom du ciel accorde-moi quelque lambeau de serpillière[2], ce n'est pas une chose chère, je ne puis supporter le froid. Je le demande pour couvrir ma robe qui est trop légère. » Mais le fils rechigne à donner, et dit : « Père, je n'en ai pas. Donner, il n'en est pas question et il faudrait, pour que tu l'aies, qu'on me l'arrache ou me le vole. — Beau doux fils, vois comme je tremble. Je redoute tant la froidure ! Donne-moi une couverture prise sur le dos d'un cheval, que le froid ne me fasse pas mal. » Le fils veut s'en débarrasser et voit qu'il n'y peut arriver sans lui accorder quelque chose. Il appelle alors son enfant qui bondit sitôt qu'il l'entend et s'écrie : « Que voulez-vous, sire ? — Si tu trouves l'étable

---

1. La couverture partagée.
2. Bonne étoffe de laine.

ouverte, donne à mon père une couverte qu'on met sur mon cheval morel[1] ; il pourra s'en faire un manteau, une chape, une pèlerine. Tu lui choisiras la meilleure. » L'enfant, qui était avisé, lui dit : « Beau grand-père, venez. » Le vieillard suit son petit-fils, plein de colère et de chagrin. L'enfant trouve les couvertures, prend la meilleure et la plus neuve et la plus grande et la plus large ; l'ayant pliée par le milieu, il la coupe avec son couteau du mieux qu'il peut et au plus juste, en donne au vieillard la moitié. « Beau fils, dit celui-ci, que faire puisque tu l'as coupée en deux ? Ton père me l'avait donnée. De ta part, c'est vraiment cruel. Ton père t'avait commandé de me la donner tout entière. Je vais revenir le trouver. — Allez, dit-il, où vous voudrez. De moi vous n'aurez rien de plus. » Le vieillard sort de l'écurie. « Fils, on se moque de tes ordres. Que ne reprends-tu ton enfant : il semble qu'il ne te craint guère ? Ne vois-tu pas qu'il a gardé la moitié de la couverture ? — Maudis sois-tu, fils ! dit le père. Donne-la-lui donc tout entière. — Je n'en ferai rien, dit l'enfant. Que pourrais-je un jour vous offrir ? Je vous en garde la moitié et c'est tout ce que vous aurez. Quand je serai le maître ici, je partagerai avec vous comme vous faites avec lui. Il vous a laissé tout son bien, et j'entends tout avoir aussi. Vous n'aurez de moi rien de plus que ce qu'il reçoit aujourd'hui. Laissez-le mourir de misère et, si Dieu veut me prêter vie, moi je vous rendrai la pareille. »

L'ironie se nourrit ici de l'habileté narrative. D'abord le pardon du vieillard suscite la pitié du lecteur : « Fils, je te recommande à Dieu ». Ensuite le fils se montre inflexible, puis apparemment le petit-fils : « Donner, il n'en est pas question », « De moi vous n'aurez rien de plus ». Enfin est introduite, sous prétexte de gronderie, la parabole finale : « moi, je vous rendrai la pareille ».

---

1. Maure, donc noir.

4.

La tentation du cynisme

À force de pourchasser la vérité, il arrive qu'aucun sentiment, aucune opinion, aucune valeur ne résiste à la démystification. L'ironie peut alors conduire le critique intransigeant au pessimisme, voire même au cynisme, quand rien de bien ne résiste au doute. Cette dérive peut être plaisante le temps d'un conte. Dans *Au bord du lit*, Maupassant confronte un mari volage à une épouse vertueuse. Un soir qu'il se retrouve seul et ressent un regain de désir, elle lui demande combien coûte une maîtresse, puis expose ses conditions : « Eh bien, mon ami, donnez-moi tout de suite cinq mille francs et je suis à vous pour un mois à compter de ce soir. »

Autrement plus cruelle est la fiction imaginée par Alphonse Daudet pour dénoncer l'horreur de la guerre et le cynisme des officiers — au lendemain de la défaite de Sedan et peu avant l'Affaire Dreyfus. L'armée française est attaquée et subit le feu de l'ennemi car les ordres n'arrivent pas.

Alphonse DAUDET (1840-1897)

Une partie de billard

Les Contes du lundi (1873)
(Le Livre de Poche n° 1058)

Le billard !
C'est sa faiblesse à ce grand homme de guerre. Il est là, sérieux comme à la bataille, en grande tenue, la poitrine couverte de plaques[1], l'œil brillant, les pom-

---

1. Décorations.

mettes enflammées, dans l'animation du repas, du jeu,
des grogs. Ses aides de camp l'entourent, empressés,
respectueux, se pâmant d'admiration à chacun de ses
coups. Quand le maréchal fait un point, tous se précipitent vers la marque ; quand le maréchal a soif, tous
veulent lui préparer son grog. C'est un froissement
d'épaulettes et de panaches, un cliquetis de croix et
d'aiguillettes, et de voir tous ces jolis sourires, ces fines
révérences de courtisans, tant de broderies et d'uni-
formes neufs, dans cette haute salle à boiseries de
chêne, ouverte sur des parcs, sur des cours d'honneur,
cela rappelle les automnes de Compiègne et repose un
peu des capotes souillées qui se morfondent là-bas, au
long des routes, et font des groupes si sombres sous la
pluie.

Le partenaire du maréchal est un petit capitaine
d'état-major, sanglé, frisé, ganté de clair, qui est de première force au billard et capable de rouler tous les
maréchaux de la terre, mais il sait se tenir à une distance respectueuse de son chef, et s'applique à ne pas
gagner, à ne pas perdre non plus trop facilement. C'est
ce qu'on appelle un officier d'avenir...

« Attention, jeune homme, tenons-nous bien. Le maréchal en a quinze et vous dix. Il s'agit de mener la partie jusqu'au bout comme cela, et vous aurez fait plus
pour votre avancement que si vous étiez dehors avec
les autres, sous ces torrents d'eau qui noient l'horizon,
à salir votre bel uniforme, à ternir l'or de vos
aiguillettes, attendant des ordres qui ne viennent pas. »

C'est une partie vraiment intéressante. Les billes courent, se frôlent, croisent leurs couleurs. Les bandes
rendent bien, le tapis s'échauffe... Soudain la flamme
d'un coup de canon passe dans le ciel. Un bruit sourd
fait trembler les vitres. Tout le monde tressaille ; on se
regarde avec inquiétude. Seul le maréchal n'a rien vu,
rien entendu : penché sur le billard, il est en train de
combiner un magnifique effet de recul ; c'est son fort,
à lui, les effets de recul !...

Mais voilà un nouvel éclair, puis un autre. Les coups

de canon se succèdent, se précipitent. Les aides de camp courent aux fenêtres. Est-ce que les Prussiens attaqueraient ?

« Eh bien, qu'ils attaquent ! dit le maréchal en mettant du blanc… À vous de jouer, capitaine. »

L'état-major frémit d'admiration. Turenne endormi sur un affût n'est rien auprès de ce maréchal, si calme devant son billard au moment de l'action… Pendant ce temps, le vacarme redouble. Aux secousses du canon se mêlent les déchirements des mitrailleuses, les roulements des feux de peloton. Une buée rouge, noire sur les bords, monte au bout des pelouses. Tout le fond du parc est embrasé. Les paons, les faisans effarés clament dans la volière ; les chevaux arabes, sentant la poudre, se cabrent au fond des écuries. Le quartier général commence à s'émouvoir. Dépêches sur dépêches. Les estafettes arrivent à bride abattue, on demande le maréchal.

Le maréchal est inabordable. Quand je vous disais que rien ne pourrait l'empêcher d'achever sa partie.

« À vous de jouer, capitaine. »

Mais le capitaine a des distractions. Ce que c'est pourtant que d'être jeune ! Le voilà qui perd la tête, oublie son jeu et fait coup sur coup deux séries, qui lui donnent presque partie gagnée. Cette fois le maréchal devient furieux. La surprise, l'indignation éclatent sur son mâle visage. Juste à ce moment, un cheval lancé ventre à terre s'abat dans la cour. Un aide de camp couvert de boue force la consigne, franchit le perron d'un saut : « Maréchal ! maréchal !… » Il faut voir comme il est reçu… Tout bouffant de colère et rouge comme un coq, le maréchal paraît à la fenêtre, sa queue de billard à la main :

« Qu'est-ce qu'il y a ?… Qu'est-ce que c'est ?… Il n'y a donc pas de factionnaire par ici ?

— Mais, maréchal…

— C'est bon… Tout à l'heure… Qu'on attende mes ordres, nom de D… ! »

Et la fenêtre se referme avec violence.

Qu'on attende ses ordres !

C'est bien ce qu'ils font, les pauvres gens. Le vent leur chasse la pluie et la mitraille en pleine figure. Des bataillons entiers sont écrasés, pendant que d'autres restent, inutiles, l'arme au bras, sans pouvoir se rendre compte de leur inaction. Rien à faire. On attend des ordres… Par exemple, comme on n'a pas besoin d'ordre pour mourir, les hommes tombent par centaines derrière les buissons, dans les fossés, en face du grand château silencieux. Même tombés, la mitraille les déchire encore, et par leurs blessures ouvertes coule sans bruit le sang généreux de la France… Là-haut, dans la salle de billard, cela chauffe terriblement : le maréchal a repris son avance ; mais le petit capitaine se défend comme un lion…

Dix-sept ! dix-huit ! dix-neuf !…

À peine a-t-on le temps de marquer les points. Le bruit de la bataille se rapproche. Le maréchal ne joue plus que pour un. Déjà des obus arrivent dans le parc. En voilà un qui éclate au-dessus de la pièce d'eau. Le miroir s'éraille ; un cygne nage, épeuré, dans un tourbillon de plumes sanglantes. C'est le dernier coup…

Maintenant, un grand silence. Rien que la pluie qui tombe sur les charmilles, un roulement confus au bas du coteau, et, par les chemins détrempés, quelque chose comme le piétinement d'un troupeau qui se hâte… L'armée est en pleine déroute. Le maréchal a gagné sa partie. »

Dans *Les Lettres de mon moulin*, Daudet montre les dents, mais c'est pour sourire ; dans *Les Contes du lundi*, il les montre encore, mais c'est pour mordre. L'ironie éclate ici dans les oppositions : « un cliquetis de croix et d'aiguillettes », « le piétinement d'un troupeau qui se hâte », mais aussi dans les parallèles : « les billes courent, se frôlent, croisent leurs couleurs », « Aux secousses du canon se mêlent les déchirements des mitrailleuses » ; dans l'intrusion du narrateur : « et vous aurez plus fait

pour votre avancement » ; dans les références :
« Turenne endormi sur un affût » ; dans la chute : « L'armée est en pleine déroute. Le maréchal a gagné sa partie. »

Conseils de lecture

Charles PERRAULT, *Contes de ma mère l'oye*, 1697, Folio
junior n° 443.

Les Mille et Une Nuits, 1704, Folio classique n° 2256 et
2257.

VOLTAIRE, *Romans et contes*, 1747-1767 Folio n° 876 et
Folio classique n° 2347 et n° 2358.

Jacob et Wilhelm GRIMM, *Contes et nouveaux Contes*,
1812-1822, Folio n° 840 et Folio classique n° 2901.

Hans Christian ANDERSEN, *Contes*, 1835, Folio classique
n° 2599.

Prosper MÉRIMÉE, *Colomba et dix autres nouvelles*, 1840,
Folio n° 819.

Edgar POE, *Histoires extraordinaires*, 1840-46, Folio classique n° 4081.

Alphonse DAUDET, *Lettres de mon moulin*, 1866 et *Contes
du lundi*, 1873, Folio classique n° 3239 et Livre de
Poche.

Jules BARBEY d'AUREVILLY, *Les diaboliques*, 1874,
Bibliothèque Gallimard n° 155.

Gustabe FLAUBERT, *Trois contes*, 1877, Folioplus classiques n° 6.

Marcel AYMÉ, *Le Passe-Muraille*, 1943, Folio n° 961.

Michel TOURNIER, *Le Coq de bruyère*, 1978, Folio n° 1229.

Jean-Marie LE CLÉZIO, *Mondo et autres histoire*, 1978,
Folio n° 1365.

Chronologie

Maupassant et son temps

1.

La famille, la Normandie, la guerre (1850-1872)

Normand de père et de mère, Guy de Maupassant naît à Fécamp, en 1850. Il réside en Normandie jusqu'à sa majorité et y revient à maintes reprises. Il est d'abord élevé au château de Grainville, mais ses parents se séparent à la suite des infidélités coûteuses du père ; puis il grandit auprès de sa mère, à Étretat, en compagnie de son jeune frère Hervé. Ces premières années sont les plus heureuses de sa vie. Il jouit d'une grande liberté et devient un homme robuste et beau. Il y découvre le monde des paysans et des pêcheurs. Il les voit travaillant dur, ayant gardé les idées d'autrefois, aimant l'alcool, la chasse, l'argent et le plaisir.

Au cours de ses promenades en bord de mer, il fait la connaissance de deux peintres : Jean-Baptiste Corot et Claude Monet, qui lui apprennent à observer un paysage, privilégier la sensation, poser un regard personnel. On retrouve dans la préface de *Pierre et Jean* cette influence lorsque Maupassant déclare : « La moindre chose contient un peu d'inconnu. Trouvons-le. Pour décrire un feu qui flambe et un arbre dans une plaine, demeurons en face de ce feu et de cet arbre jusqu'à ce qu'ils ne ressemblent plus, pour nous, à aucun autre arbre et à aucun autre feu. »

En 1863, le jeune garçon entre comme pensionnaire dans une école religieuse d'Yvetot. Il souffre de la séparation et n'apprécie ni ses camarades, ni les prêtres de l'institution. Il en gardera une rancune persistante à l'égard de la religion et du clergé. Exclu pour avoir composé des vers jugés indécents, il termine ses études, toujours pensionnaire, au lycée de Rouen. Sa mère et son correspondant scolaire, le poète Bouilhet, sont deux amis d'enfance de Gustave Flaubert, l'auteur qui influence le plus les écrivains naturalistes. Ils lui transmettent leur goût commun des livres et l'introduisent dans l'intimité du romancier de *Madame Bovary* (1857) et de *L'Éducation sentimentale* (1869).

En 1870, la Prusse déclare la guerre à la France. Le jeune homme est témoin de l'invasion de la France, de la défaite de Sedan, de l'occupation de la Normandie par des soldats vainqueurs — et de la réaction de quelques patriotes.

1852	Début du Second Empire.
1855	Exposition universelle.
1857	Publication des *Fleurs du mal* de Baudelaire et de *Madame Bovary* de Gustave Flaubert ; procès contre chacune de ces deux œuvres.
1867	Zola emploie pour la première fois le terme « naturalisme » dans la préface de *Thérèse Raquin*.
1870	Début de la Troisième République.
1871	Insurrection de la Commune de Paris.

2.

Le bureau, le canotage,
les maîtres (1872-1880)

C'est en 1872, grâce à la recommandation d'un ami-
ral, que Maupassant entre dans la vie active comme
bibliothécaire au ministère de la Marine. Puis, grâce à
Flaubert, il obtient une place au ministère de l'Instruction publique. Il y observe un monde qu'il juge
médiocre, mesquin, jaloux, inapte au bonheur et
pauvre en plaisirs. En revanche, il fréquente deux
fois par semaine le monde opposé des « canotiers » :
de jeunes hommes et de jeunes femmes qui se bai-
gnent dans la Seine et s'y promènent en barque. Il
y prend l'habitude d'aventures amoureuses brèves,
mais nombreuses, où le sentiment demeure à fleur de
peau.

Un an plus tard, Flaubert corrige ses premiers manus-
crits, lui confie quelques recherches rémunérées et lui
fait connaître Daudet, les Goncourt et Zola. Il lui
enseigne surtout à faire preuve de rigueur dans l'observation et dans l'écriture. *La Main de l'écorché*, son premier conte, est publié dans la presse. Il rapporte dans
sa préface à *Pierre et Jean* ses relations avec Flaubert :
« Plus tard, Flaubert, que je voyais quelquefois, se prit
d'affection pour moi. J'osai lui soumettre quelques
essais. Il les lut avec bonté et me répondit : "Je ne sais
pas si vous aurez du talent. Ce que vous m'avez apporté
prouve une certaine intelligence, mais n'oubliez point
ceci, jeune homme, que le talent — suivant le mot
de Chateaubriand — n'est qu'une longue patience.
Travaillez."

Je travaillai, et je revins souvent chez lui, comprenant

que je lui plaisais, car il s'était mis à m'appeler, en riant, son disciple. »

En 1876, Maupassant rejoint les écrivains naturalistes et participe aux entretiens littéraires du Groupe de Médan, organisés par Zola dans sa maison de campagne. Il collabore à plusieurs journaux : *Le Gaulois*, *Gil Blas*, *Le Figaro*... pour y commenter l'actualité politique et culturelle. Ces « chroniques » constituent trois volumes et représentent ses véritables débuts d'homme de lettres. Il publie également son premier livre : *Des vers* — les seuls poèmes « naturalistes » existants — ainsi que quelques pièces de théâtre, souvent galantes, jouées chez des amis : *À la feuille de rose, Une répétition*. Il a aussi contracté la syphilis, une maladie vénérienne grave, qui causera ou aggravera des migraines incessantes, un dérèglement de la vision et les troubles mentaux dont il mourra.

C'est en 1880, dans le recueil de textes intitulé *Les Soirées de Médan* que figure sa première nouvelle : *Boule de Suif* dont le succès est immédiat et considérable. Il quitte le ministère deux ans plus tard et se consacre entièrement à la littérature. Il mène une vie qui s'apparente à la débauche, fréquente les maisons closes, entretient plusieurs liaisons, dont une, avec Joséphine Litzelmann, qui lui donne trois enfants.

1873	Rimbaud publie *Une saison en enfer*.
1874	Le tableau de Monet *Impression, soleil levant*, donne son nom aux « Impressionnistes ».
1875	Création de l'opéra de Georges Bizet, *Carmen*, d'après la nouvelle de Mérimée.
1878	Vallès publie *L'Enfant* en feuilleton.
1880	Mort de Flaubert.

3.

L'œuvre, les voyages,
la folie (1880-1893)

Maupassant écrit toute son œuvre en dix ans : six romans, seize recueils (de deux cent soixante contes et nouvelles) et trois livres de voyage.

> Les romans : *Une vie* (1883) (où il « repêchera » plusieurs anecdotes dont il fera des contes) ; *Bel Ami* (1885), *Mont-Oriol* (1887), *Pierre et Jean* (1888) (où il expose sa conception du roman dans la préface), *Fort comme la mort* (1889) et *Notre cœur* (1890).
> Les recueils de contes et nouvelles : *La Maison Tellier* (1881), *Mademoiselle Fifi* (1882), *Contes de la bécasse* (1883), *Miss Harriet, Clair de lune, Les Sœurs Rondoli* (1884), *Contes du jour et de la nuit, Yvette, Toine* (1885), *La Petite Roque, Monsieur Parent* (1886), *Le Horla* (1887), *Le Rosier de madame Husson* (1888), *La main gauche* (1889), *L'Inutile Beauté* (1890), *Le Père Milon* (1899, à titre posthume).
> Les livres de voyage : *Au soleil* (1884), *Sur l'eau* (1888), *La Vie errante* (1890).

En 1887, quelques écrivains, pourtant sympathisants : Bonnetain, Descaves, Guiches, Marguerite et Rosny, publient le « Manifeste des Cinq » pour protester contre le roman *La Terre* que Zola vient de publier et rompre avec l'esprit naturaliste auquel Maupassant reste fidèle. Entre 1880 et 1889, l'écrivain effectue plusieurs voyages, notamment en Corse (1880), en Italie (1885), en Angleterre (1886) et surtout dans le Maghreb (1881, 1887-88, 1889). Il navigue aussi sur son voilier, le *Bel-Ami*, et se

rend de Paris en Hollande à bord d'un ballon diri-
geable.

Le frère de Maupassant est interné en 1889, puis
meurt d'une maladie mentale quatre ans plus tard. La
santé de l'aîné poursuit une dégradation inexorable. Il
effectue plusieurs cures à Châtel-Guyon, en Auvergne,
et recourt à l'éther, au haschich et à d'autres drogues
pour apaiser ses hallucinations et une angoisse gran-
dissante. Il décrit dans une lettre à Mme X… en 1890
ses impressions et sa détresse : « Si jamais je pouvais parler, je laisserais sortir tout ce que je sens au fond de moi
de pensées inexplorées, refoulées, désolées. Je les sens
qui me gonflent et m'empoisonnent, comme la bile
chez les bilieux. […] Je crois plutôt que j'ai un pauvre
cœur orgueilleux et honteux, un cœur humain, ce vieux
cœur humain dont on rit, mais qui s'émeut et fait mal ;
et dans la tête aussi, j'ai l'âme des Latins qui est très
usée. »

En 1892, après une première tentative de suicide,
Maupassant est soigné à la clinique psychiatrique du
docteur Blanche — comme Nerval, Van Gogh et
d'autres artistes dits « maudits. » Il meurt à quarante-
trois ans au terme d'une agonie d'un an.

1881   Loi sur la liberté de la presse.

1882   Les lois Ferry sur l'enseignement imposent un
       enseignement primaire gratuit, obligatoire et
       laïque, pour les enfants de six à treize ans.

1885   Mort de Victor Hugo et de Jules Vallès.

1887   Van Gogh peint *Les Tournesols*.

1888   Exposition universelle pour laquelle on bâtit la
       tour Eiffel.

1890   Clément Ader invente l'*Éole* qui lui permet de « voler » sur une distance de 12 mètres.

1891   Début du scandale de Panama.

Conseils de lecture

Artine ARTINIAN, *Pour ou contre Maupassant*, Nizet, Paris, 1955.

René DUMESNIL, *Guy de Maupassant*, Tallandier, Paris, 1947.

Armand LANOUX, *Maupassant, le Bel Ami*, Fayard, Paris, 1967.

Édouard MAYNIAL, *La Vie et l'Œuvre de Guy de Maupassant*, Mercure de France, Paris, 1906.

Albert-Marie SCHMIDT, *Maupassant*, Seuil, Paris, 1976.

Éléments pour une fiche de lecture

Regarder le tableau

- Le format de ce tableau n'est pas le plus répandu : dites pourquoi le peintre l'a choisi.
- Combien d'éléments composent *Pauvre femme*? Quelle est la couleur dominante? Se rattache-t-elle plus spécialement à l'un de ces éléments? Lequel? Expliquez.
- Donnez un autre titre à ce tableau.

Le Papa de Simon

- Comment peut s'expliquer la méchanceté manifestée par les écoliers à l'égard de leur camarade?
- Pourquoi le narrateur a-t-il choisi de donner le métier de forgeron au futur père du petit garçon?

Le Saut du Berger

- Que peut symboliser l'orage décrit par le narrateur avant de relater le crime commis par le prêtre?
- En quoi la première partie du conte illustre-t-elle l'intention majeure des écrivains naturalistes?
- Comment le récit du crime est-il dramatisé : mots expressifs, comparaisons et métaphores, rythme de

la phrase, mise en relief sonore, références culturelles... ?
- Quel second crime évoque l'expression : « et s'y
creva comme un œuf » ?

Histoire vraie

- Que révèle le rapprochement insistant établi par le
fermier entre Rose, la servante, et Mirza, la chienne ?
- Quels mots laissent entendre que l'embauche de
Rose, puis son mariage s'apparentent à des transac-
tions commerciales ?
- Comment peut être expliqué l'attachement de la
servante à un tel maître ?

La Rempailleuse

- Quelles différences successives apparaissent entre le
comportement de la petite fille et du petit garçon,
puis de la rempailleuse et du couple de pharma-
ciens ?

En mer

- Quelles expressions révèlent que l'auteur possède
une bonne connaissance du monde de la pêche et
de la navigation ?
- Tout récit exprimant une « morale », quelle signification globale peut être donnée à l'ensemble du conte ?

Mon oncle Jules

- Quelle image les Européens se font-ils de l'Amérique à cette époque ? et quel contraste représente
alors le comportement de la famille Davranche ?

Une vendetta

- Comment l'auteur produit-il des « effets de réel » dans ce récit ?
- Pourquoi la mère se confesse-t-elle et communie-t-elle avant de commettre son crime ?

La Ficelle

- Quels traits de caractère successifs semblent prêtés à maître Hauchecorne au fil du conte ?
- Comment peut être justifiée la relation de cause à effet entre un incident mineur et un dénouement si dramatique ?

Garçon, un bock !...

- Quel rôle joue dans la narration la reprise d'une même expression ?
- En quoi ce conte naturaliste illustre-t-il l'affirmation de Freud, fondateur de la psychanalyse : « L'enfant est le père de l'adulte » ?

Le Gueux

- Quels faits successifs traduisent, dans ce récit, le « message » naturaliste ? Quels mots l'expriment ? Quels autres le suggèrent ?

La Mère Sauvage

- Quelles réactions successives peut inspirer au lecteur le comportement de la mère Sauvage pendant l'occupation de son pays par des soldats étrangers ?

Le Petit Fût

- Quels indices sont donnés par le narrateur au lecteur en vue d'annoncer et de justifier le dénouement?
- Comment ce récit procure-t-il une information satisfaisante sur la vente en viager sans cesser, pour autant, de divertir?

Concluez!

- Comment s'exprime le pessimisme prêté à Maupassant dans ces douze contes, pourtant si divers par les situations, les personnages et les tonalités narratives?

Collège

FABLIAUX (textes choisis) (37)

CHRÉTIEN DE TROYES, *Le Chevalier au Lion* (2)

COLETTE, *Dialogues de bêtes* (36)

CORNEILLE, *Le Cid* (13)

Gustave FLAUBERT, *Trois Contes* (6)

HOMÈRE, *Odyssée* (18)

Victor HUGO, *Claude Gueux* suivi de *La Chute* (15)

Joseph KESSEL, *Le Lion* (30)

Jean de LA FONTAINE, *Fables* (34)

Gaston LEROUX, *Le Mystère de la chambre jaune* (4)

Guy de MAUPASSANT, *12 contes réalistes* (42)

MOLIÈRE, *L'Avare* (41)

MOLIÈRE, *Le Médecin malgré lui* (20)

MOLIÈRE, *Les Fourberies de Scapin* (3)

MOLIÈRE, *Trois courtes pièces* (26)

Charles PERRAULT, *Contes* (9)

Jacques PRÉVERT, *Paroles* (29)

Jules VALLÈS, *L'Enfant* (12)

Paul VERLAINE, *Fêtes galantes* (38)

Jules VERNE, *Le Tour du monde en 80 jours* (32)

Oscar WILDE, *Le Fantôme de Canterville* (22)

Lycée

La poésie baroque (anthologie) (14)

Honoré de BALZAC, *La Peau de chagrin* (11)

Charles BAUDELAIRE, *Les Fleurs du Mal* (17)

Albert CAMUS, *L'Étranger* (40)

Gustave FLAUBERT, *Madame Bovary* (33)
Sébastien JAPRISOT, *Un long dimanche de fiançailles* (27)
Pierre Choderlos de LACLOS, *Les Liaisons dangereuses* (5)
Jean de LA BRUYÈRE, *Les Caractères* (24)
Madame de LAFAYETTE, *La Princesse de Clèves* (39)
MARIVAUX, *L'Île des esclaves* (19)
Guy de MAUPASSANT, *Le Horla* (1)
Guy de MAUPASSANT, *Pierre et Jean* (43)
MOLIÈRE, *L'École des femmes* (25)
MOLIÈRE, *Le Tartuffe* (35)
Alfred de MUSSET, *Lorenzaccio* (8)
François RABELAIS, *Gargantua* (21)
Jean RACINE, *Andromaque* (10)
Jean RACINE, *Britannicus* (23)
Nathalie SARRAUTE, *Enfance* (28)
VOLTAIRE, *Candide* (7)
VOLTAIRE, *L'Ingénu* (31)
Émile ZOLA, *Thérèse Raquin* (16)

Composition Bussière.
Impression Novoprint
à Barcelone, le 4 avril 2005.
Dépôt légal : avril 2005.
ISBN 2-07-030466-3./Imprimé en Espagne.

125347